La Recette d'où je viens

PORTRAITS GOURMANDS
& RECETTES SOUVENIRS

NOHA BAZ

La Recette
d'où je viens

PORTRAITS GOURMANDS
& RECETTES SOUVENIRS

L'ORIENT DES LIVRES

Pour Lila...

L'odeur et la saveur restent encore longtemps, comme des âmes, à se rappeler, à attendre, à esperer, sur la ruine de tout le reste, à porter sans fléchir, sur leur gouttelette presque impalpable, l'édifice immense du souvenir.

Marcel Proust

PRÉFACE

LA HUITIÈME MUSE

Voici un livre de recettes de cuisine libano-syriano-arméno-turque qui se lit comme un recueil d'historiettes goûteuses et familiales. Il est beau, matériellement beau, avec une présentation d'un goût parfait : je ne parle pas de la saveur, mais de la mise en page et en forme, de la qualité du papier et des illustrations, du choix des auteur(e)s de cet ouvrage, de son intérêt historique et, pourquoi pas ? philosophique. Car la cuisine, le passage du cru au cuit*, ces deux grandes catégories de l'alimentation humaine depuis que l'homme (et la femme) existe et sur lesquelles l'un des penseurs les plus déterminants de notre temps, Claude Lévi-Strauss, a longuement réfléchi dans un ouvrage qui fit date, est une aventure de la pensée et elle est l'un des fondements de la civilisation depuis toujours. Très particulièrement aujourd'hui où, dans de nombreux pays, elle fait désormais partie intégrante des beaux-arts qui ne sont plus sept, mais huit.

Il fallait trouver une muse pour ce huitième art. On n'a pas eu beaucoup de mal à le faire. Cette muse, tous les chefs étoilés ou illuminés d'Orient et d'Occident la connaissent et l'admirent pour la nature exceptionnelle de ses références culinaires (une encyclopédie !), de la vastitude de son répertoire gustatif, de la sûreté de son jugement, de son affabilité et de sa courtoisie qui font d'elle, grande pédiatre par ailleurs, l'une des vedettes des fourneaux allumés par les toques les plus illustres de Paris, de Beyrouth, d'Istanbul et de bien d'autres villes dans le monde, animatrice qui a fondé une association gastronomique réputée, Ziryab, et un prix du même nom placé sous le patronage d'un maître médiéval de l'art de vivre andalou qui fit de Cordoue, Séville et Grenade, cités arabes, les capitales des suprêmes raffinements dans un festival permanent de plaisirs, dont l'un des premiers est celui de la table. Le prix Ziryab, au jury international, va actuellement aux plus belles réalisations bibliophiliques concernant la panoplie des saveurs, leur histoire, leur mythologie, leurs illustrations, thèmes et pratiques liés à cette occupation parmi les plus civilisées qui soient : bien manger, bien boire, goûter, flatter et reflatter les papilles, en un mot déguster.

Ai-je nommé la muse qui a su récupérer en notre nom à tous, Orientaux et Occidentaux, Ziryab ? Elle est brun-châtain comme un champ d'été très mûr et rieuse comme un frais ruisseau du Liban. Elle est née à Alep, du temps où Alep rayonnait sur toute la région, et sa maison familiale était l'une des plus fréquentées autant par les diplomates étrangers que par les personnalités nationales. Dans son enfance, m'a-t-elle raconté, il lui est arrivé de faire l'école buissonnière dans les sous-sols de la grande maison où étaient logées les salles des cuisines, goûtant au plat ou à la pâtisserie en train de se faire. Cet avant-goût, la fillette le devait à la générosité discrète de l'un ou l'autre des cuisiniers affairés devant leurs feux palpitants. Cette écolière gourmande de naguère, la voici transformée en l'exquise hôtesse d'aujourd'hui et, j'en suis sûr, vous en avez tous deviné le nom mécénique (de Mécène). Je la nomme pour notre bonheur à tous : il s'agit bien évidemment de notre merveilleuse Noha. Noha Baz.

Salah Stétié

---

* Claude Lévi-Strauss : *Le Cru et le cuit*, Plon, 1964.

PRÉSENTATION

« Quel est le plat associé à votre enfance, que vous reproduisez aujourd'hui et que vous aimeriez transmettre à vos enfants ? Celui qui raconte la maison où vous avez grandi, qui constitue un rituel gourmand et qui vous rassemble le dimanche en famille ? »

Les personnes choisies dans ce livre ont, chacune à sa façon, répondu à cette question et exploré leurs souvenirs pour en tirer à ma demande une recette empruntée à leur patrimoine familial. Elles ont redonné la main à l'enfant qu'elles étaient, pour retrouver, à travers leurs récits, des moments heureux et gourmands. Avec chaque recette, les acteurs du livre ont partagé un peu de la tendresse de leur enfance, de leur famille et de leurs souvenirs, et livré, un peu, beaucoup d'elles-mêmes.

D'abord hésitantes, les réponses donnaient ensuite lieu à un feu d'artifice de descriptions enthousiastes, à des salves d'anecdotes et d'images joyeuses. Et l'émotion était à chaque fois au rendez-vous. J'ai été témoin d'accolades chaleureuses, de regards complices, de larmes furtives, de sourires et de beaucoup d'éclats de rire. J'ai goûté des dizaines de plats, partagé de magnifiques tablées familiales où la convivialité était toujours au rendez-vous, bu à la santé de ce qui a été et à celle des générations à venir. Ces recettes familiales ont chacune un petit supplément d'âme et sont racontées par des personnes que j'aime et dont je connais la table. Les réunir dans un livre, c'était montrer que malgré guerres, conflits et barbaries, la cuisine reste une valeur sûre, source de joie et de réconfort, autrement dit le sel de la vie. Je vous souhaite en lisant ce livre d'y trouver autant de plaisir que j'ai eu à le composer.

Les livres de cuisine sont depuis toujours une de mes passions. Pas ceux qui mettent simplement la nourriture en photo, mais ceux qui la racontent. Parce qu'une recette de cuisine porte en elle son monde, donne vie à des personnages et à une maison, j'ai, à chaque fois que je me suis plongée dans un de ces ouvrages, accompli un voyage.

La transmission est indissociable de l'alimentation et, depuis les premières tablettes d'argile gravées par les peuples de Mésopotamie (où l'on découvre entre autres merveilles le « Kanasu Broth », ancêtre de la recette du kebbeh actuel, tablette prise de la « Babylonian Collection » de l'Université de Yale qui renferme plusieurs tablettes de recettes décodées par Jean Bottéro en 2004), en passant par le livre d'Apicius qui constitue pratiquement le livre de recettes le plus ancien d'Europe, l'être humain s'est appliqué à transmettre.

On transmet un savoir, des saveurs et aussi un peu de soi. Dans chaque famille, une grand-mère, puis une mère, parfois aussi un père, ont mis en place un rituel gourmand. La transmission a pris quelquefois des chemins inattendus, a sauté une génération, a été perçue différemment par chacun des enfants dans une même famille. Peu importe le chemin emprunté, elle reste l'acte fondateur de la cuisine familiale.

Les livres de recettes de familles sont des reliques. Souvent manuscrits, ils racontent avec des images bucoliques le temps d'avant l'iPad et les smartphones, celui où l'on prenait le temps de faire et où nourrir était à lui seul un projet de vie. Les transmettre de génération en génération et les reproduire tracent une route apaisante, celle de la mémoire du ventre qui rattache solidement un enfant à sa terre d'origine.

Au hasard des conflits et des guerres, les migrations humaines ont toujours été accompagnées d'un désir de se souvenir du pays d'exil en reproduisant ses saveurs. Cette notion est universelle et à l'origine d'échanges de goûts et de métissages aux quatre coins de la planète.

Dans notre pays, aujourd'hui en perte de repères, la table reste un élément fédérateur et source de joies. Au Liban, transmettre à nos enfants devenus citoyens du monde une recette de famille, c'est leur donner une petite boussole rassurante et les implanter dans un pays qu'ils transportent désormais dans leurs valises à défaut de pouvoir y rester et y travailler. « Je sais aujourd'hui qu'il n'y a terroir que par la mythologie qu'est notre enfance et que si nous inventons ce monde de traditions enracinées dans la terre et l'identité d'une contrée, c'est parce que nous voulons solidifier, objectiver, ces années magiques et à jamais révolues qui ont précédé l'horreur de devenir adulte », écrit à cet égard Alain Etchegoyen dans *Nourrir*.

C'est en regardant *Festins imaginaires*, le film d'Anne Georget présenté en février 2015 au festival du film de Berlin, que m'est venue l'idée de cet ouvrage. Ce film raconte l'histoire de carnets de cuisine rédigés dans les camps de détenus pendant la Seconde Guerre mondiale. Parvenus des quatre coins du monde et soumis à la réflexion de philosophes, d'historiens, de psychanalystes et de neurologues, ces carnets représentent un objet de mémoire vivant et dynamique, et montrent comment le verbe devient une nourriture pour la chair et pour l'âme. Privés de tout, vivant dans des conditions effroyables, les auteurs, prisonniers de guerre, avaient réussi à écrire sur des morceaux de papier ou de tissu volés çà et là leurs souvenirs gourmands. Au péril de leur vie, ces hommes et ces femmes se réunissaient pour échanger et retranscrire des recettes familiales venues avec eux de leurs pays d'origine afin que corps et âmes puissent résister à la faim et au désespoir. Penser à ces recettes familières et en parler aux autres, c'était, au milieu du chaos, se réfugier dans le temps d'avant, redonner un ordre logique à un monde qui bascule. « En parlant de ces repas somptueux, nous étions finalement repus, soulagés par une satiété imaginaire », explique dans le film une ancienne déportée. « On oubliait tout le reste, ça consolidait l'amitié, on était bien », raconte une autre. Écrits par des hommes ou des femmes en langages divers, ces récits culinaires, grâce à la richesse des mets évoqués, réussissaient à envelopper de douceur et de lumière l'horreur des camps et leur noirceur. L'insupportable et l'exquis se faisaient face. La cuisine devenait ainsi une langue parallèle, universelle, fédératrice, et les recettes une sorte de prière, un moyen de résister à l'horreur et à l'absurdité.

Entre autres manuscrits, particulièrement émouvant, le livre de Mina, détenue tchèque dans le camp de concentration de Terezin. Réunissant comme ultime acte d'amour ses meilleures recettes de cuisine pour sa fille Anny Stern qui avait réussi à s'enfuir en Palestine, illustré à la main, contenant photos et petits poèmes, enveloppé d'un simple papier kraft, ce livre, *Les Recettes de Mina*, mettra plus de 30 ans pour arriver à destination et donnera ensuite son premier titre au film.

Le film est bouleversant et porteur d'espoir. J'en suis ressortie avec la certitude de concrétiser une idée que je portais depuis toujours en moi. Essayer de mettre en valeur cette transmission gourmande qui n'est pas uniquement question de chair mais également de verbe et dont l'ingrédient indispensable reste l'amour.

Noha Baz

Nada Moghaizel Nasr	12	Myrna Boustany et Laura Lahoud	122
Nada et Mimi Sehnaoui	16	Raymond Audi	126
Amal el-Zein	20	Mona Hraoui	130
Nina et Denise Jidejian	24	Salim Eddé	134
Georgette et Nayla Lahoud	28	Lina Abyad, Samia et Kawkaba Ammache	138
Alice Eddé	32	Chibli Mallat	142
Les Naja	36	Sylvain et Chantal Arthus	146
Nayla et Nicolas Audi	40	Laudy, Maurice et Mona Iskandar	150
Andrée Maalouf et Laurice Abi Chedid	44	Salah Stétié	154
Nada et Nouhad Souaid	48	Thérèse Dahdah Douaihy	158
Youmna Goraieb	52	Alan et Elham Geamm	162
Annie Afeiche et Aida Maila	56	Jamale et Fayez Jabado	166
Karim Haidar	60	Jacqueline Jraissati	170
Nadim, Lamia et Mona Ghantous	64	Claudine Élie Saab	174
Odile de Sahb et Mathilde de Saint-Léger	70	Rania Sarieddine Akhras	178
Farouk Mardam-Bey	74	Rafic Baddoura	182
Amin Maalouf	78	Robert Fadel	186
Lina Abi Rached	82	Reem et Randa Siklawi	190
Youssef Akiki	86	Maya et Yolla Khoury-Helou	194
Maryse et Médéa Azouri	90	Fifi Abou Dib	198
Hana Hibri	94	Janine Rubeiz et Nadine Begdache	202
Eileen et Dicky Margossian	98	Nada Zeineh	206
Youssef Chami	102	Nagib et Alfred Assaily	210
Diane et Virginie Mansour	106	Nasri et Sophie Chami	214
Nada Chaoul et Marcelle Nassar	110	Ghassan Salamé	218
Issa et Maria Goraieb	114	Youssef Haidar	222
Randa et Rosette Tabbah	118	Là où tout a commencé	226

Nada
Moghaizel Nasr

Un quatre-quarts à quatre mains

Il fallait bien l'aide des mots pour faire parler Nada Moghaizel Nasr de mets et de cuisine. Cette diva des mots entretient avec la chose culinaire, disons, des liens polis. Gourmande et esthète, elle se décrit plutôt touriste dans sa vaste cuisine de Rabieh, équipée par son mari Samir qui, l'espoir au cœur et au ventre, avait pensé un jour qu'un cadre inspirant pourrait déclencher une vocation...

Nada est un vrai cadeau pour l'éducation scolaire et universitaire de ce pays. Elle dispense son savoir avec douceur et élégance. Je lui avais expliqué mon projet par téléphone et son enthousiasme fut immédiat. Évoquer à travers un souvenir gourmand son enfance et surtout sa mère, Laure Moghaizel, lui habillait déjà le cœur. Grande figure de la lutte féminine, Laure, avocate de formation, fut une véritable grand-mère bienveillante et attentionnée pour toute une génération de femmes. Avec son époux Joseph, député au Parlement libanais dans les années soixante, elle fut à l'origine de nombreuses réformes administratives en faveur des femmes.

Pour parler du quatre-quarts au chocolat indissociable de l'enfance de Nada, un goûter fut improvisé chez elle à la maison. Saveurs et souvenirs se donnèrent la main sous le regard tendre de Laure, très élégamment encadrée sur la table du salon.

« C'était le gâteau des retours, celui des retrouvailles, raconte Nada. La guerre et les études avaient disloqué la famille. Les enfants vivaient à l'étranger. L'étranger est un endroit, pas un lieu. Il y fait froid et silencieux. On y vit comme à travers une vitre. Les sons et les saveurs ne nous parviennent pas, parce qu'à l'étranger ne vivent pas les parents. À chaque retour, à l'aéroport, à l'étage des arrivées, des gants blancs parmi une foule improbable, venue de partout. Des gants blancs et parfumés à cabochard pour nous accueillir. À la maison, sur la grande table de la salle à manger, toujours dressée (pourquoi l'était-elle toujours ?), sur un grand plateau en argent, un gâteau au chocolat, un quatre-quarts posé sur un napperon en dentelle. Les retrouvailles prenaient un goût de chocolat moelleux. Elles fondaient dans la bouche. On fermait les yeux. On voulait que ça dure. Les départs, c'était autre chose. Ils avaient un goût de menthe. Des bonbons étaient éparpillés dans la valise. On les retrouvait, une fois arrivés là-bas, parmi les pulls et les collants. Quatre-quarts, c'est facile. On ne demande pas la recette. On se dit que c'est simple et qu'on aura le temps de la demander à sa mère. On pense que les mères ne meurent pas. Quatre, quarts, sont des mots simples mais compliqués. Quatre quarts de quoi ? Des saveurs se perdent à cause d'une question que l'on n'a pas posée. »

Raya, fille aînée de Nada, arrive en trombe pour nous tirer à temps de notre rêverie et chasser un trop-plein d'émotion. Elle dépose un baiser sur la joue de sa mère, et avec un ravissant sourire, nous donne la recette du gâteau, recette que Nada cherchait désespérément depuis le début de notre entretien.

Le quatre-quarts au chocolat

de Laure et Nada Moghaizel

Ingrédients

Pour 8 personnes

250 g de chocolat noir à cuire
(à 70 % de cacao)

4 œufs entiers

250 g de farine

250 g de sucre blanc en poudre

Un sachet de sucre vanillé

Préparation

1 Dans un saladier, mettre les œufs, la vanille et le sucre.

2 Les battre au fouet électrique pendant dix minutes à vitesse maximale.

3 Ajouter le beurre ramolli et continuer à fouetter pendant encore cinq minutes.

4 Tamiser la farine et la rajouter petit à petit.

5 Verser la préparation dans un moule de 30 cm de diamètre et laisser reposer pendant une heure.

6 Cuire 40 minutes à four thermostat 5 (150 degrés).

7 Déguster tiède.

Nada et Mimi
Sehnaoui

Tableau de famille et riz au lait

Nada est une artiste peintre qui a reçu sa formation à l'Université de Boston, section Beaux-Arts, après un cursus d'histoire effectué à l'Université de la Sorbonne à Paris. De renommée internationale, ses installations exposées aux quatre coins du monde sont d'abord un événement culturel à Beyrouth. Ses tableaux élégants, quel que soit le sujet choisi, invitent toujours à la réflexion. Engagée sur plusieurs fronts de la vie sociale au Liban, Nada prône, dans un pays bâti sur le confessionnalisme, une laïcité éclairée et intelligente.

Notre amitié tardive s'est construite au fil des ans et de dîners mutuellement programmés où la gourmandise était toujours au rendez-vous. Chez elle, les plats sont toujours présentés sous forme de buffet où une simple endive prend de l'allure et devient intéressante, habillée de baies roses subtilement accordées aux canapés rouges de son salon. Ses souvenirs gourmands sont plus habités par Salma, sa grand-mère maternelle, que par sa mère Mimi. Notre entretien joyeux et plein de surprises se passe dans son atelier-galerie à Beyrouth.

« C'est mon adorable grand-mère maternelle Salma qui m'a donné le goût de la cuisine. Elle a réellement bercé notre enfance à ma sœur, mes frères et moi, en s'occupant de nous au quotidien. Ma mère Mimi s'est intéressée à la cuisine sur le tard, passionnée surtout par ses invitations toujours magnifiques. Il y a quelques années, elle a mis au point une recette de truffes au chocolat qui est vraiment devenue depuis un rituel gourmand, inséparable des fêtes de Noël et qui m'accompagne tout au long de l'hiver. Lorsque j'oublie de la faire, ce sont les amis qui me rafraîchissent la mémoire en me la réclamant », raconte Nada, lorsque arrive Mimi, sa mère, pour la photo destinée à illustrer l'entretien.

Double rang de perles et boucles d'oreilles assorties, lunettes de soleil et brushing glamour, à quatre-vingt-quatre ans, cette icône de style était ce jour-là pleine d'entrain et avait soudain plein de recettes à nous faire partager.

« Tu m'as donné envie de me lever ce matin, me dit Mimi en m'embrassant. J'ai choisi de te raconter le riz au lait de ma mère. Il est délicieux et vraiment très simple à faire, le secret résidant essentiellement dans sa cuisson en deux temps, d'abord à feu vif, ensuite au four. » Nada acquiesce en se souvenant qu'effectivement, sa grand-mère confectionnait le plat en distribuant à ses petits-enfants des petites tâches spécifiques : « Me revenait, reprend Nada, la charge de piler dans un mortier jusqu'à les réduire en poudre de petits *kaaks* ou galettes au sésame. Ce n'est qu'après avoir accompli cela que j'avais le droit d'étaler avec du beurre la chapelure obtenue dans le moule de cuisson. »

Mimi reprend à son tour le récit de la recette : « Il faut choisir un riz rond blanc, tout simple, parce qu'il se lie bien au lait, c'est cela le secret, et ne pas rajouter de sucre pendant la cuisson. Une fois le gâteau de riz cuit, tu jettes par-dessus, généreusement, un sirop de sucre parfumé d'eau de fleur d'oranger et d'eau de rose. » Elle termine son exposé en mimant, théâtrale, l'opération sucrage et rajoute à voix basse, sur le ton de la confidence décidément pleine de ressources : « Pour accompagner ce riz au lait, tu peux servir une tisane à l'anis, parfumée d'eau de rose. Ce sera parfait ! »

Ma rencontre avec Nada et sa mère a été particulièrement émouvante. Attentives l'une à l'autre, elles étaient heureuses ce jour-là, de se retrouver à travers la gourmandise. Par la grâce d'un souvenir gourmand, leurs fragilités se sont, pendant quelques heures, intimement liées, délicatement cristallisées, comme un sirop de sucre parfumé habillant un riz au lait avec douceur.

RECETTE

2

Les truffes au chocolat

de Nada et Mimi

Ingrédients

Pour 1 kg de truffes

1000 g de chocolat noir en tablettes (Poulain, Nestlé, Van Houten)

400 g de crème liquide

Cacao Van Houten

2 tasses à café de rhum ambré d'excellente qualité (On peut utiliser également, pour changer, soit du Grand Marnier, soit du whisky, soit du cognac.)

Préparation

1   Faire bouillir la crème.

2   Faire fondre le chocolat doucement au bain-marie, puis rajouter la crème.

3   Une fois le mélange bien lié, rajouter hors du feu l'alcool.

4   Entreposer le mélange obtenu au frais, bien couvert avec un film plastique pour ne pas éventer les arômes et attendre le lendemain pour façonner les truffes.

5   Le lendemain, à l'aide d'une cuillère, mouler les truffes puis les rouler dans une assiette contenant le cacao en poudre.

6   Garder au frais.

RECETTE

3

Le riz au lait

de Salma Farah,
la maman de Mimi Sehnaoui

Ingrédients

Pour 8 personnes

200 g de riz rond type Arborio, lavé et bien essoré

2 l de lait entier

250 g d'eau froide

1 sachet de sucre naturellement vanillé

Pour le sirop de sucre

600 ml d'eau

1 kg de sucre en poudre blanc

10 ml de jus de citron filtré

30 ml d'eau de fleur d'oranger

10 ml d'eau de rose

Préparation

1   Dans une casserole à fond épais, verser le riz en ajoutant à hauteur, de l'eau froide.

2   Porter à ébullition pendant dix minutes puis égoutter.

3   Rajouter le lait et faire cuire à feu doux pendant 45 minutes en remuant constamment. (Attention ! La préparation doit rester un peu liquide, car le riz va continuer à absorber le lait une fois le plat mis au four.)

4   Préparer le plat à four en le badigeonnant de beurre et en le tapissant de chapelure.

5   Y verser le riz et enfourner à feu doux, 150°C (thermostat 5) pendant une quinzaine de minutes.

6   Sortir le plat du four et répandre généreusement par-dessus le sirop de sucre parfumé.

7   Laisser refroidir et déguster.

Amal el-Zein

Le partage en héritage

Amal est en convalescence dans sa maison familiale dans le Sud-Liban lorsque je l'appelle pour lui soumettre mon projet. Très émue par l'évocation de son enfance, elle est ravie de parler de sa madeleine de Proust culinaire et hésite entre plusieurs recettes. Cette femme douce et timide, terriblement attachante, s'apprivoise et a besoin de beaucoup de temps pour se livrer. Graphiste de formation, elle est arrivée à la restauration par hasard, mais depuis, c'est comme si elle s'était trouvée. À chaque fois que j'ai déjeuné ou dîné dans son restaurant, elle a fait preuve d'inventivité en me présentant des plats non inscrits à la carte et dont elle me racontait toujours l'histoire en évoquant sa mère.

« Ma mère Najat avait appris à cuisiner à Saïda chez ses parents. Elle avait perdu sa mère à l'âge de douze ans et comme elle était l'aînée de la famille, elle s'occupait de ses quatre frères et sœur avec l'aide d'une gouvernante. En épousant mon père Talaat, elle s'était retrouvée avec lui à Beyrouth dans la maison familiale des Zein. Celle-ci abritait selon la coutume d'alors plusieurs générations sous un même toit. Cuisinière extraordinaire, Marie gérait les repas dans la maison et lui avait tout appris. Le week-end, toute la famille migrait vers le Sud, à Kfarreman dans le village d'origine des Zein. C'est là qu'elle apprit aussi les subtilités de la *mouneh* (tradition de provisions faites en été dans tous les villages libanais en prévision de l'hiver) et des plats du terroir avec une autre cuisinière, Oum Houssein. Tout était, dans cette maison du Sud, confectionné sur place, y compris le pain et les pâtisseries traditionnelles libanaises. Quand mes parents ont fini par s'établir seuls dans un appartement moderne à Beyrouth, ma mère a enfin pu donner libre cours à sa passion culinaire et s'est mise à cuisiner tout le temps, passant d'un plat à un dessert, accueillant amis, cousins et famille de passage.

« De l'avis général, tout ce qu'elle confectionnait était absolument délicieux. Avec le temps, elle donnait ses recettes à toutes les filles de la famille. Certaines ont réussi à les reproduire, mais personne n'avait vraiment hérité de son souffle, ce *nafas*, comme on dit en Orient, qui est inséparable d'une cuisine de qualité et qui est un petit supplément d'âme qui rajoute de l'esprit à la cuisine. Elle était la cuisinière préférée de toute la tribu. Quand je me suis mariée, elle m'a donné toutes ses recettes écrites de sa main. Personnellement, reprend Amal, la cuisine me plaisait et je m'y appliquais. Je suivais à la lettre les recettes de ma mère et ça marchait. À bien y réfléchir, je crois que c'est moi finalement qui me rapproche le plus de son fameux *nafas*... Une année avant son décès, ma sœur et moi avons repris ses recettes manuscrites et nous les avons éditées dans un petit livre souvenir. Nous lui avons ensuite organisé une soirée signature où elle a pu offrir cet ouvrage à la famille et aux amis. Elle était ravie, et quand elle a lu les quelques articles dans les journaux qui parlaient de son livre, elle riait et s'exclamait enchantée : "Ma cuisine est maintenant dans un livre pour de vrai !" Nous lui avons promis de le faire traduire en français et en anglais pour le transmettre à ses petits-enfants. Nous devons toujours le faire... Depuis plusieurs années maintenant, je vis pratiquement dans mon restaurant, Gruen, poursuit Amal. C'est ici que j'ai pris conscience de ma passion pour la cuisine et découvert que c'est en fait un don, une sorte de cadeau que ma mère m'a fait à ma naissance. J'aime non seulement cuisiner, mais également organiser la cuisine, composer des menus, planifier des repas, ne rien oublier, m'occuper des convives à table, être sûre que tout le monde est heureux... Gruen aujourd'hui, c'est comme c'était chez ma mère mais en plus grand ! Je pensais l'autre jour que je fais aussi livrer à domicile les plats de la carte exactement comme elle le faisait quand l'une de ses nièces accouchait ou quand l'une d'elles était malade. Ces heureuses élues recevaient des repas durant sept jours ! »

Choisir une recette souvenir a été une tâche ardue pour Amal qui a finalement opté pour le ragoût de poulet aux noix dont la seule description m'a mis les papilles en joie. Elle l'a choisi, parce qu'enfant, elle l'attendait de fête en fête et qu'il faisait le bonheur de toute sa famille.

RECETTE

4

Recette de la *yakhnet el-joz* (ragoût aux noix)

d'Amal

Ingrédients

Pour 5 personnes

1 poulet (1,5 kg)

1/2 kg de noix

2 grandes cuillères de mélasse de grenade (*debs el-remmane*)

1 citron

1 cuillère à soupe d'huile d'olive

1 bâton de cannelle

1 gousse de cardamome verte

1 feuille de laurier

Sel et poivre doux

Préparation

1   Faire chauffer l'huile dans une marmite et frire le poulet assaisonné de sel et de poivre, en le tournant doucement.

2   Ajouter de l'eau chaude jusqu'à le couvrir, puis rajouter le bâton de cannelle, la cardamome, la feuille de laurier et un quart de citron avec sa peau.

3   Laisser cuire une heure.

4   Concasser les noix à l'aide d'un moulin électrique jusqu'à obtenir une mouture en petits morceaux mais pas trop poudreuse.

5   Mettre les noix dans une grande marmite, leur ajouter une tasse d'eau froide, bien mélanger avec une cuillère en bois.

6   Quand le poulet est cuit, le désosser et le découper en petits filets.

7   Rajouter le poulet cuit sur les noix.

8   Filtrer le bouillon et en rajouter 4 tasses au mélange noix-poulet dans la marmite.

9   Laisser cuire à feu doux.

10   Bien remuer le mélange, ajouter le jus d'un citron.

11   Diluer le *debs el-remmane* restant dans un peu d'eau chaude et l'ajouter à la marmite avec un peu de sel.

12   Continuer à remuer le mélange jusqu'à ce que le poulet se fonde complètement avec les noix et que les noix soient bien cuites (une heure environ).

13   Goûter et rajouter du sel si nécessaire.

14   Servir avec un simple riz blanc pilaf.

Nina et Denise
Jidejian

Tea time with style

Comment résumer la vie de Nina Jidejian en une seule page ? Elle qui en a écrit des milliers racontant passionnément l'histoire du Liban et qui continue, à quatre-vingt-quatorze ans, à le faire encore tous les jours. Cette femme, épouse d'un chirurgien libanais de renommée dans les années soixante, Yervant Jidejian, avait entrepris à l'âge de quarante-cinq ans des études d'histoire et d'archéologie et est devenue ainsi une référence en la matière. Elle est également l'auteure de plus de vingt ouvrages retraçant l'histoire des villes de l'Antiquité libanaise, en allant de Tripoli à Sidon (Saïda), en passant par Héliopolis (Baalbeck) et Tyr.

Très active, elle n'avait pas vraiment le temps de s'occuper de cuisine, mais sa cérémonie du *five o'clock tea* était un véritable événement de la vie sociale et culturelle à Beyrouth. S'y retrouvaient deux fois par mois hommes et femmes de lettres, artistes et musiciens, ainsi que tous les diplomates de la ville pour qui ce rendez-vous était quasiment l'équivalent d'une présentation de lettres de créance. Être invitée chez Nina était un privilège auquel j'ai eu le plaisir de goûter des dizaines de fois. Le dernier *tea time* avait eu lieu juste la veille de la guerre libano-israélienne, le 11 juillet 2006. Sa brioche à la cannelle, accompagnée de son incomparable thé glacé à la bergamote, avait tenté de calmer l'anxiété des invités, très préoccupés ce jour-là par la situation interne du pays qui faisait ressurgir les vieux fantômes de la guerre des 33 jours. C'était la dernière fois que « *Ninette* » tenait salon. Depuis, elle vit quasiment recluse dans sa maison à Yarzé, entourée de ses livres et de ses souvenirs, mais sa solitude est heureusement animée par l'affection de sa fille unique Denise et de son gendre Hervé.

Retrouver Nina en cette fin d'hiver était un printemps en soi. Sa mémoire intacte, son délicieux accent anglais me donnant la recette de son fameux *ice tea* sont un vrai cadeau :

> « Je suis née à Boston aux États-Unis, puis j'ai passé une partie de mon enfance à Téhéran avant d'arriver à Beyrouth. Ma mère donnait des directives à la cuisine plutôt qu'elle ne cuisinait elle-même. Je me souviens de plats quotidiens simples. Seules les fêtes du *Thanksgiving* et de Noël étaient l'occasion de grands repas de fêtes. Je n'ai jamais vraiment eu le goût de la cuisine. Je la faisais plus par obligation lorsque Denise était enfant. Yervant rentrait tard et nous étions souvent invités à dîner, donc je cuisinais des choses simples. J'étais aussi très distraite et prise par mes études d'archéologie à l'Université américaine et je quittais souvent la maison à la hâte. Mes gratins et mes rôtis oubliés dans le four à une époque où le téléphone portable n'existait pas restent un vrai gag qui avait mis plus d'une fois mes voisins en émoi. Le jour du mariage de ma fille Denise, la réception se passait dans les jardins de la maison et j'ai voulu symboliquement rajouter un petit quelque chose au buffet commandé chez un traiteur. Je décidai de préparer moi-même des clubs-sandwiches et mis donc des œufs à bouillir. Distraite, une fois de plus, je les oubliai... C'est un bruit assourdissant qui fit sursauter tout le quartier et me ramena à la réalité, car les œufs finirent par exploser et coller au plafond. La trace de cet exploit culinaire est toujours là ! La seule chose que j'aimais faire, c'était les gâteaux. Probablement un souvenir de ma passion pour l'heure du goûter lorsque j'étais enfant. J'ai encore en mémoire le goût de l'*apple cake* de ma mère que j'ai reproduit des centaines de fois. À mon mariage, elle m'en avait donné la recette manuscrite. Il y a aussi la brioche à la cannelle qu'elle faisait à merveille et que je confectionne souvent, jusqu'aujourd'hui, pour le plaisir de ma famille. C'est cette recette que j'ai choisi de te donner aujourd'hui. »

RECETTE

5

Recette du thé glacé

de Nina

Ingrédients

2 litres d'eau

50 g de thé Earl grey en feuilles

1 bouquet de menthe

5 cl de jus de citron

Un citron coupé en rondelles

125 g de sucre brun ou 100 g de cassonade

Préparation

Préparé au moins deux heures avant de consommer (la veille et mis au frais c'est encore mieux).

1 Faire bouillir l'eau et ajouter le thé dès frémissement de l'eau.

2 Laisser infuser.

3 Verser le thé à travers une passoire après 10 minutes d'infusion.

4 Rajouter le sucre et le jus de citron.

5 Laisser refroidir puis mettre au frais.

6 Au moment de servir, sortir le thé froid, bien remuer et verser dans une carafe dans laquelle on aura mis un bouquet de menthe fraîche et les rondelles de citron.

Recette de la brioche à la cannelle

de Nina et Denise Jidejian

Ingrédients

Pour la pâte

5 cuillères à café de levure de boulanger sèche

Un demi-verre d'eau tiède

125 ml de lait entier

75 g de beurre doux

75 g de sucre blanc

1 cuillère à café de sel marin

500 g de farine de blé tamisée

2 œufs

Pour la garniture

350 g de cassonade

1 cuillère à soupe de cannelle moulue

2 cuillères à soupe de beurre doux fondu

1 cuillère à soupe de lait

Pour le glaçage

250 mg de sucre glace

15 ml de lait

Préparation

1 Dans un bol, mélanger le lait et le sucre. Réserver.

2 À la cuillère de bois ou dans un batteur, mélanger la farine, la levure et le sel.

3 Ajouter le mélange de lait/sucre et les œufs, et mélanger vigoureusement jusqu'à ce que la pâte commence à se former.

4 Incorporer le beurre graduellement et pétrir la pâte environ 5 minutes au batteur sur socle ou sur un plan de travail fariné. La pâte sera molle et légèrement collante.

5 Déposer la pâte dans un bol propre et légèrement huilé.

6 Couvrir le bol d'un linge et laisser reposer dans un endroit tiède pendant environ 20 minutes.

7 Dans un bol, mélanger la cassonade et la cannelle. Réserver.

8 Sur un plan de travail généreusement fariné, abaisser la pâte pour obtenir un rectangle de 50 x 35 cm.

9 Badigeonner de beurre fondu et répartir le mélange de cassonade et cannelle sur toute la surface de la pâte. Rouler la pâte fermement pour obtenir un cylindre de 50 cm de long.

10 Laisser lever, sans couvrir, dans un endroit tiède jusqu'à ce que la brioche soit bien gonflée.

11 Préchauffer le four à 180°C (350°F). Badigeonner la brioche de lait. Cuire au four environ 30 minutes jusqu'à ce qu'elle soit bien dorée.

12 Laisser tiédir.

13 Pour le glaçage, mélanger dans un bol le sucre et le lait jusqu'à ce que le mélange soit homogène. Ajouter du lait au besoin. En badigeonner la brioche juste au moment de servir.

Georgette
et Nayla Lahoud

Potiron et traditions

J'ai fait la connaissance de Nayla Lahoud il y a bientôt quatre ans. Mère pour la première fois, elle était venue en consultation un beau matin de juillet avec sa petite Kaia et son sourire tout en douceur illuminait déjà la salle d'attente. Elle m'avait d'emblée parlé de nutrition et, au fil des vaccins et des jours, chacun de nos rendez-vous finissait par un petit échange culinaire. Elle me racontait les souvenirs gourmands de son enfance par bribes.

Graphiste surdouée, elle a mis, grâce à son talent et sa fraîcheur, plus d'une fois du bonheur dans la vie des enfants de l'Association « Les Petits Soleils ». Lui demander de parler de son souvenir gourmand était donc pour moi une évidence.

« Dans la maison familiale à Amchit où j'ai grandi, tout était prétexte à organiser un repas. Quatre enfants, des parents bons vivants et surtout une mère et une grand-mère pétries de traditions gourmandes. Les traditions du Vendredi Saint sont un souvenir intense de mon enfance, peut-être à cause du cérémonial qui les entourait et qui était empreint de ferveur et de spiritualité. Probablement aussi pour le *kebbeh* de potiron que faisait ma grand-mère paternelle et dont les effluves emplissaient la maison. Végétarienne depuis l'âge de quinze ans, c'est un de mes plats préférés et je suis sûre que le Christ lui-même, s'il l'avait goûté, aurait eu envie de ressusciter rien que pour en manger ! Je garde un souvenir ému du déjeuner du Vendredi Saint chez mes parents à Amchit. Notre table regorgeait ce jour-là de plats merveilleusement savoureux. C'était quelque part un peu paradoxal pour ce jour de l'année où tout individu élevé dans la religion chrétienne est censé faire preuve de retenue en matière de gourmandise ! La tradition, immuable et reprise jusqu'aujourd'hui, commence très tôt le matin à Amchit. Les enfants, accompagnés parfois de leurs parents, vont à la cueillette de fleurs des champs et de thym sauvage que l'on trouve au milieu des terrains rocailleux et des collines d'Amchit, entre pins et oliviers. De retour à la maison, tout le monde se rend à l'église pour participer à l'office du chemin de croix qui se déroule un peu avant midi.

Les enfants déposent alors leurs gerbes de fleurs au pied de l'autel. L'office est toujours suivi d'une procession autour de l'église et les familles se retrouvent ensuite pour un petit café annonçant la rupture du jeûne de la période de carême. Cette pause est suivie du déjeuner dont le menu est toujours identique dans toutes les maisons du village. Les plats végétariens sont à l'honneur et l'huile d'olive présente dans tous les raviers. Le plat principal reste le *kebbeh* de potiron présenté en grande galette généreuse ou sous forme de petites boules farcies d'épinards, de pois chiches, d'oignons et de zestes de citron. La farce varie selon l'inspiration du jour et on peut y retrouver noix, amandes, raisins secs, oignons, piments rouges ou poivrons doux. Ces boules de *kebbeh* sont ensuite grillées ou frites et présentées avec une salade de thym, des blettes farcies, un *baba ghannouj* ou *moutabbal* d'aubergines (purée d'aubergines à l'huile de sésame ou *thineh*), ainsi qu'avec des haricots blancs cuisinés à l'ail et au citron. Je perpétue aujourd'hui ce rituel avec mes filles Kaia et Kim et je suis à chaque fois très émue de revenir sur les pas de mon enfance. Kaia a goûté pour la première fois cette année au *kebbeh* de potiron et a voulu nous aider à sa préparation. Un vrai bonheur de la voir essayer de façonner les petites boules de *kebbeh*, même si le résultat était plus proche de l'art abstrait que de l'art culinaire. »

Recette du *kebbeh* de potiron

de Georgette Lahoud, grand-mère de Nayla

Ingrédients

Pour un plateau de cuisson de 40 cm de diamètre.
Cuisson : 30 min

Pour le *kebbeh*

2 kg de citrouille (potiron) coupés en cubes

2 verres de blé concassé fin (*burghol*)

1 poignée de farine

1 verre de semoule

Poivre, sel

Pour la farce

5 oignons hachés

1 verre de noix secs et d'amandes concassées séchées

1/3 verre de pignons

1/2 verre de raisins secs

2 cuillères de « sumac »

Piment rouge en poudre (à volonté)

Préparation

1   Faire bouillir le potiron, laisser refroidir, essorer, ajouter le blé concassé et la farine, saler et poivrer.

2   Diviser la pâte obtenue en deux boules identiques puis préparer la farce.

3   Frire les oignons avec de l'huile d'olive puis ajouter le reste des ingrédients dans la poêle et bien mélanger.

4   Étaler la première boule de pâte sur le plateau de cuisson avec un peu d'huile d'olive en mouillant la main avec un peu d'eau chaude et en gardant la même épaisseur sur le plateau de cuisson.

5   Verser par-dessus la farce en couvrant toute la surface.

6   Aplatir la deuxième boule de *kebbeh* pour couvrir la farce en pressant doucement vers le bas et en gardant toujours une épaisseur uniforme.

7   À l'aide d'un couteau, tracer des lignes sur la surface du *kebbeh* pour pouvoir la départager après cuisson en 8 pièces égales.

8   A l'aide d'un pinceau badigeonner de l'huile d'olive sur le surface du *kebbeh* avant de le mettre à cuire dans un four tiède, thermostat 5 (150 degrés) pendant 30 minutes.

Alice Eddé

Une histoire d'œufs

Arrivée en touriste en 1973 à Beyrouth, Alice Eddé rencontre son mari Roger au hasard d'un dîner chez des amis communs. Depuis, ils ne se sont plus quittés. Mariés en 1975, à l'orée de la guerre civile libanaise, ils sont restés au Liban, contre vents et marées, et œuvrent inlassablement à l'embellir tous les jours. À ce pays plusieurs fois mutilé par la guerre, ils ont voulu, à travers différents projets, donner une aura internationale et élégante en commençant par la vieille ville côtière de Byblos où l'on retrouve la signature d'Alice à chaque carrefour.

Mon projet enthousiasme Alice, mais parler de cuisine l'inquiète un peu ! Entourée d'une armada de cuisiniers, elle propose des idées beaucoup plus qu'elle ne met la main à la pâte. Elle adore la cuisine libanaise, mais ne la fait pas. Nous discutons autour d'un thé au gingembre auquel elle prête toutes les vertus et dont j'apprécie beaucoup le goût épicé.

« Je suis née à Saint-Louis dans le Missouri, dans une famille américaine d'origine irlandaise. Ma vie a toujours été marquée par les voyages au gré des nominations de mon père, officier de l'armée américaine, et par les plantes et les jardins. Ma mère avait la passion des fleurs plus que celle de la cuisine. De toute façon, aux États-Unis, la cuisine est plutôt élémentaire, mis à part les fêtes de *Thanksgiving* et de Noël où les gens déploient un peu plus de créativité aux fourneaux. Ce n'est pas du tout comme au Liban où les mezzés, à eux seuls, sont une fête perpétuelle. Ma grand-mère maternelle à laquelle j'étais très attachée cuisinait bien, mais elle vivait loin de chez nous et je me souviens surtout des jolis colis qu'elle nous envoyait à Noël et au début des vacances d'été. De belles boîtes enrubannées et multicolores dans lesquelles elle glissait des friandises et des petites babioles. Elle y mettait souvent aussi des fleurs séchées, un herbier, des rameaux de plantes aromatiques… parfois juste un dessin plié en quatre. Elle prenait soin d'entourer ces boîtes de papiers de soie, roses pour les filles et bleus pour les garçons, et puis de rajouter des rubans de couleur et des perles. Je crois d'ailleurs que ce que je préférais dans ses colis c'était le contenant plutôt que le contenu ! C'est sûrement d'elle que je tiens ce goût pour les plantes, les rubans et les fleurs, et surtout une passion du travail bien fait.

« Pour en revenir à la cuisine, le plat qui me ramène à tous les coups mon enfance américaine par son odeur et ses saveurs, ce sont les *scrambled eggs*, œufs brouillés tout simplement ou avec bacon et toasts grillés. Ma mère et mon père les faisaient chacun à sa manière. Je préférais la recette de ma mère parce qu'à l'arrivée, la brouillade était plus goûteuse et plus aérienne. Elle avait son petit secret, elle battait les œufs beaucoup plus longtemps, en incorporant donc plus d'air avant de rajouter la crème fraîche et une pincée de sel. Ça les rendait incroyablement légers, mousseux comme un sabayon. À chaque fois que je sens un petit coup de nostalgie, je me fais des œufs brouillés et ça me remet le cœur en joie. Tu comprends, n'est-ce pas ? »

Oui je comprenais très bien et imaginais ce sabayon. Tout comme j'imaginais la petite fille aux yeux bleu azur à qui son père faisait croire que les grains de maïs poussaient tels quels dans les boîtes de conserve, lui donnant à jamais l'envie d'aller à la découverte des plantes et des jardins…

RECETTE

8

Recette des œufs brouillés

d'Alice Eddé

Ingrédients

Pour 2 personnes

4 œufs

20 ml de crème liquide

Sel fin

Poivre du moulin

Préparation

1 Mettre les œufs, la crème, le sel et le poivre dans un petit bol.

2 Bien fouetter et verser la préparation aux œufs et immédiatement réduire le feu à mi-cuisson.

3 Faire fondre une noisette de beurre dans une poêle.

4 Au fur et à mesure que les œufs commencent à prendre, racler délicatement le fond et la paroi de la poêle, à l'aide d'une spatule, pour former des petits tas.

5 Cuire jusqu'à ce que les œufs épaississent et qu'il n'y ait plus de liquide visible, mais en gardant le moelleux du mélange.

Les Naja

La pizza connexion

Wadih Naja est un des psychiatres les plus consultés à Beyrouth. Notre amitié s'est construite avec lui et sa famille à travers ses enfants. Je ne peux d'ailleurs parler de lui qu'en englobant toute sa petite famille. L'intelligence de cœur et la bienveillance de sa femme Michèle en sont certainement l'explication la plus logique. C'est d'ailleurs elle qui prend la parole pour raconter l'histoire de cette pizza familiale devenue un véritable rituel des week-ends en famille dans leur jolie maison de Beit Chabab.

« *Téta* Laudy, grand-mère paternelle de Wadih, était un personnage sorti du roman *Cent ans de solitude* de Gabriel García Márquez… Ses cheveux grisonnants lui donnaient la douceur des femmes de la montagne libanaise. Son sourire immuable et résigné racontait sans bruit les épreuves qu'ils avaient traversées, son époux et elle, durant leurs longues années d'immigration au Mali. Au début du siècle dernier, l'immigration vers l'Afrique était le lot de beaucoup de familles libanaises, qui se retrouvaient pratiquement par villages entiers dans tel ou tel autre pays de ce continent prometteur. Arrivée jeune mariée à Bamako, Laudy Naja a dû s'acclimater autant que faire se peut à son environnement et y élever ses enfants. De retour au pays bien des années plus tard, la famille Naja s'était construit une maison sur les hauteurs de Beit Chabab, village verdoyant aux toits rouges et aux carillons célèbres. Archétype de la mère nourricière, *téta* Laudy, installée au premier étage de la maison familiale, aimait raconter, à qui voulait l'entendre, telle Schéhérazade, les secrets de ses petits plats, interrompant subitement son histoire pour se signer rapidement lorsqu'elle entendait sonner l'Angélus au clocher du village. Nous l'écoutions des heures durant, enveloppés par l'odeur timidement citronnée de son eau de Cologne et bercés par ses histoires de *kebbeh* et de *warak enab* (feuilles de vigne) qu'elle plongeait pour les attendrir dans de l'eau chaude. Et puis il y avait sa pizza, la madeleine de la famille. Pendant longtemps, mon mari Wadih, « Widi », son petit-fils, nous en a parlé avec véhémence, promettant sans cesse de nous initier un jour à ce délice. Devant l'insistance de Miali et de Matteo âgés alors de 8 et 5 ans, il a fini par céder au rituel. Soucieux de ne pas oublier un détail dans l'exécution, de peur de bousculer l'amour inconditionnel qu'il avait pour sa grand-mère, il finit par se lancer une première fois, dans un silence mystique. Il essayait de retrouver les gestes de sa grand-mère et comme lui revenait, enfant, le privilège de rajouter les fleurs d'origan sur la surface de la pizza, il refit exactement la même chose, reproduisant en se concentrant les mêmes gestes. Un sourire ému se dessina alors sur son visage et devant notre enthousiasme aux enfants et moi, l'essai se mua en tradition ! Depuis, tous les week-ends, dans la cuisine de Beit Chabab, la pizza est au menu. Moment de complicité et de partage familial que nous aimons par-dessus tout… Pour la touche finale c'est dorénavant à tour de rôle que Miali et Matteo sont autorisés à rajouter le *zaatar* ! »

RECETTE

9

La pizza
de Wadih et Laudy Naja

Ingrédients

Préparation : 30 minutes

Cuisson : environ 25 minutes four

thermostat 6 (180 degrés)

Pour 6 personnes

1 boule de pâte à pain

5 tomates rouges

200 g de jambon en tranches

200 g de mozzarella en tranches

5 cuillères à soupe de ketchup

3 petites cuillères d'huile d'olive

1 petite cuillère de sel

1 petite cuillère de poivre noir

2 cuillerées de *zaatar* vert ou d'origan séché

Préparation

LA FARCE

1 Peler les tomates et les couper en dés.

2 Mélanger dans un récipient les tomates, le ketchup, le sel, le poivre, l'huile d'olive et une cuillerée de *zaatar*.

3 Laisser reposer pendant 10 minutes.

LA PIZZA

1 Huiler un plateau et étaler la pâte.

2 Ajouter les tranches de jambon et verser la farce.

3 Recouvrir de fromage puis ajouter du *zaatar* à la surface de la préparation.

4 Mettre au four pendant 20 à 25 minutes, jusqu'à ce que le fromage soit légèrement doré.

Nayla et Nicolas
Audi

Les architectes du goût

Véritable pilier de la gastronomie libanaise, rien ne prédestinait pourtant Nicolas Audi à se lancer dans cette voie. Venu du monde de l'architecture, sa curiosité naturelle et sa recherche permanente de nouveautés avec un esprit toujours en éveil ont eu le bon goût de le diriger vers le monde culinaire.

Le regarder travailler est tout à fait fascinant. Avec une solide connaissance de la composition des mets, cet artiste démonte patiemment une recette et la reconstruit pas à pas. Il dessine chaque plat avant de le confectionner, car le visuel pour lui est aussi important que le goût. Un vrai régal des yeux précède toujours chez lui celui des papilles, avec une devise invariable à laquelle il ne déroge jamais : l'excellence. Celle des produits d'abord, sans lesquels il n'y a pas de bonne cuisine ; ensuite celle de la présentation finale qui s'imprime en même temps que la saveur d'un plat dans la mémoire du dégustateur.

Élevé par une mère férue de peinture et excellente cuisinière, amoureuse de cuisine aussi bien orientale qu'européenne, Nicolas Audi avait également un père fin gourmet. Mais c'est son talent à lui, sa recherche incessante de saveurs nouvelles et sa finesse qui ont patiemment construit le reste.

Nous sommes au restaurant Audi à Rabieh et Nayla, la fille de Nicolas, arrive pour m'accueillir, sourire aux lèvres et silhouette élégante. Nayla s'occupe aujourd'hui de la section « pâtisserie » de l'entreprise Catering de son père, après un parcours qui ressemble curieusement d'ailleurs au sien…

« J'ai toujours aimé le monde de la cuisine, raconte-t-elle, et j'observais très jeune déjà ma mère Simone, à l'œuvre. J'ai de la chance parce que mes parents ont tous les deux un talent gastronomique et qu'ils savent le transmettre. Nicolas donne son avis, nous raconte les ingrédients et l'origine des épices, remanie une recette, mais la cuisine à la maison au quotidien est plutôt l'affaire de ma mère. À 18 ans, lorsqu'il a fallu que je choisisse un métier, j'ai opté pour l'architecture, exactement comme mon père… Diplôme en poche, je commençais tranquillement un stage dans une entreprise d'urbanisme. C'est ici, au restaurant, en 2012, en voyant l'équipe de chefs s'affairer pour les préparations de Noël que, naturellement gourmande, j'ai ressenti une « pulsion-passion » pour la pâtisserie. Les couleurs et la précision de la construction des gâteaux me rappelaient les maquettes que je réalisais pour mes projets d'études à l'Alba (Académie libanaise des Beaux-Arts). Le plus dur ensuite a été de l'annoncer à Nicolas, poursuit-elle en riant. Au moment où je lui disais que je voulais changer d'orientation, il m'a demandé d'un air malicieux pourquoi j'avais attendu cinq ans avant d'avoir cette révélation ! Me décider plus tôt m'aurait épargné pas mal de nuits blanches, penchée sur mes maquettes d'immeubles… Bref, je crois qu'il était surtout très fier, lui qui depuis toujours m'emmène avec lui pour des voyages-découvertes durant lesquels nous explorons ensemble de nouvelles pistes gastronomiques. Sa passion pour les saveurs exotiques du monde, en particulier les asiatiques, m'a ouvert d'autres horizons que la pâtisserie traditionnelle. Nicolas m'a transmis une vision élégante de la cuisine et le goût du beau. Il peut recommencer plusieurs fois un plat jusqu'à trouver ce qui satisfait d'abord le regard, comme il le dit, ensuite le goût. Récemment, pour un *kebbeh arnabieh* (plat emblématique de la cuisine libanaise où le *kebbeh* est cuisiné dans une épaisse sauce sésame parfumée d'agrumes), il a pris le soin de faire des *kebbeh* ronds exactement du même diamètre que les oignons de la sauce. Visuellement, c'était déjà un régal.

« J'ai beaucoup de souvenirs gourmands, mais j'ai choisi de donner la recette du gâteau "Roya" parce que nous l'aimons particulièrement en famille. Mon père en avait pris la recette du carnet de cuisine de sa propre mère et l'avait ensuite retravaillée pour en donner sa propre version. Depuis, ce dessert fait partie de tous nos moments festifs à la maison. Roya n'est pas ma grand-mère, c'est une amie très chère de mes parents. Elle avait goûté un jour chez nous ce gâteau et avait décrété que c'était le meilleur qu'elle avait mangé de sa vie ! Depuis, elle nous le réclame à chaque fois qu'elle vient à la maison et c'est en son honneur que papa a fini par le baptiser "Roya". »

RECETTE
10

Recette du gâteau « Roya »

de Nicolas et Nayla Audi

Ingrédients

Pour un moule de 30 cm de diamètre

5 jaunes d'œufs

5 blancs d'œufs

65 g de sucre blanc (dose 1)

150 g de beurre pommade

1/4 de zeste d'orange

1 pincée de vanille en poudre

250 g de chocolat noir 70 %

1 cuillère à café de « Nescafé »

1 cuillère à café de cacao en poudre

75 g de farine T55

25 g de sucre blanc (dose 2)

Préparation

1   Préchauffer le four à 200°.

2   Hacher le chocolat noir et le faire fondre au bain-marie.

3   Diluer dans un peu d'eau tiède le « Nescafé », le cacao en poudre et les rajouter au chocolat fondu.

4   Dans un batteur, blanchir les jaunes d'œufs avec la première dose de sucre pendant 5 bonnes minutes.

5   Ajouter le beurre pommade, le zeste d'orange et la poudre de vanille.

6   Bien mélanger le tout à nouveau.

7   Verser le mélange chocolat et farine dans les jaunes et bien agglomérer le tout.

8   Monter les blancs en neige avec la deuxième dose de sucre. Une fois bien serrés, les ajouter en trois fois dans l'appareil chocolaté et les mélanger délicatement.

9   Verser dans un moule antiadhésif préalablement beurré et fariné

10 Faire cuire au four pendant 12 minutes.

11 Sortir et retourner sur un plat au bout de quelques minutes.

12 Laisser refroidir et saupoudrer la surface de sucre glace.

Andrée Maalouf
et Laurice Abi Chedid

Passion cuisine

« Pour ceux qui ont quitté leur pays, la cuisine est — si j'ose détourner un dicton célèbre — ce qui reste de la culture d'origine quand on a tout oublié. » C'est en commençant par cette phrase qu'Amin Maalouf a préfacé le premier livre de son épouse Andrée. Et Andrée s'est appliquée, depuis leur installation en France en 1980, à lui donner raison.

Éducatrice de formation, passionnée de gastronomie, sans cesse en train d'essayer de nouvelles recettes dans sa petite cuisine parisienne, Andrée Maalouf a élevé ses trois enfants à Paris en leur donnant tous les jours le goût de leur pays d'origine. Vous faites d'abord sa connaissance à travers une petite lueur chaleureuse qu'elle a dans les yeux lorsqu'elle sourit, qui vous pénètre l'âme. Et puis, vous l'écoutez parler et l'addiction devient totale. Simple et chaleureuse, Andrée me raconte son enfance par petits bouts à chacune de nos rencontres. Elle me parle de ses sœurs, ses tantes, ses cousines et, bien sûr, des traditions gourmandes qui scellaient les repas dans sa famille. Intarissable sur les vertus des aliments, sa curiosité intellectuelle toujours en éveil, elle me tient à chaque fois un discours quasi médical sur tel ou tel autre produit.

Généreuse et amicale, elle a été l'une des premières personnes avec Karim Haidar à qui j'ai parlé de cet ouvrage et la première à m'encourager. Elle est d'ailleurs coauteur de deux livres sur la cuisine libanaise, devenus aujourd'hui une véritable référence dans la bibliothèque de tout gourmet.

Crédit photo Tony el-Hage

« Mes souvenirs gourmands sont bien sûr indissociables du Liban où j'ai passé toute mon enfance. Ce sont surtout les souvenirs de goûts simples, comme par exemple le goût du pain arabe chaud, mélangé à des olives, des tomates, du thym frais ou du *zaatar* séché. La cuisine était préparée tous les jours à la maison et mon plat préféré reste le *chiche barak*, à la fois pour son goût que pour l'élégance de sa préparation. Ma mère préparait cette recette après le nouvel an et, quelquefois, pour les déjeuners du dimanche en hiver. Je la vois encore confectionner la pâte, la couper en petites rondelles et les farcir de viande. Elle les laissait sécher à l'air sur un grand plateau enfariné, avant de les cuire dans la sauce au yaourt. Enfant, je la regardais faire et j'enregistrais ses gestes. Je reproduis aujourd'hui avec plaisir cette recette pour mes enfants et maintenant pour ma petite-fille Dalia. C'est toujours pour moi un plat de fête. »

Les chiches baraks

de ma mère Laurice

Ingrédients

Pour la pâte

200 g de farine

15 cl d'eau

1 cuillère à soupe d'huile

Sel

Pour la farce

350 g de viande hachée

1 oignon

Quelques brins de persil

2 cuillères à soupe d'huile d'olive

Sel et poivre

Pour la sauce

1 kg 500 de yaourt de chèvre

1 cuillère à soupe de beurre

3 gousses d'ail

½ bouquet de coriandre fraîche

30 g de pignons

1 cuillère à soupe de maïzena

Huile d'olive

Sel et poivre

Préparation

LA FARCE

1 Hacher finement l'oignon, puis le faire revenir dans 2 cuillères à soupe d'huile d'olive.

2 Ajouter la viande hachée, le poivre et le sel.

3 Retirer du feu dès que la viande change de couleur.

4 Laisser refroidir.

LA PÂTE

1 Tamiser la farine, ajouter l'eau, l'huile et le sel, mélanger à la main, pétrir la pâte pour la rendre homogène.

2 Mettre la pâte dans un plat, la saupoudrer de farine pour éviter qu'elle ne colle aux mains, la couvrir d'un linge humide et la mettre pendant 30 minutes au frais.

3 Fariner généreusement le plan de travail, aplatir la pâte à la main, la retourner, l'aplatir à nouveau avec un rouleau à pâtisserie jusqu'à ce qu'elle devienne fine.

4 Découper avec un emporte-pièce des cercles de 5 cm de diamètre.

5 Les garnir d'une noisette de farce, mouiller légèrement les bords, rabattre la pâte pour former des demi-lunes, presser les bords puis rapprocher les 2 extrémités et les pincer pour obtenir une petite boule.

LA SAUCE

1 Dorer les pignons avec un peu de beurre clarifié.

2 Peler l'ail.

3 Laver, sécher et hacher finement la coriandre.

4 Dans un pilon, écraser l'ail avec le sel et la coriandre et les faire revenir une minute dans une poêle avec un peu d'huile.

5 Délayer la maïzena dans un demi-verre d'eau.

6 Verser le yaourt dans un grand faitout, ajouter la coriandre et l'ail, la maïzena, le sel, mélanger et cuire à feu moyen en touillant régulièrement.

7 Dès le début de l'ébullition, baisser le feu au minimum.

8 Verser délicatement les *chiches baraks* dans le yaourt, remuer délicatement.

9 Dès que les *chiches baraks* remontent à la surface, ils sont cuits.

10 Verser dans une soupière, ajouter les pignons dorés à la surface du plat.

11 Servir avec du riz aux vermicelles.

Nada et Nouhad
Souaid

Bon grain ne saurait mentir

Elles ont la même petite lueur joyeuse dans les yeux et le même sourire. Peut-être aussi la même philosophie de la vie. Un mélange de dynamisme qui pousse à aller de l'avant et une élégance toute en retenue qui accepte ce qui est. Nada Souaid raconte sa mère à travers les souvenirs de la maison de Qartaba.

Mariée très jeune, Nouhad Souaid a dû, tout en élevant une famille de six enfants, reprendre au pied levé le poste de député de Jbeil de son mari décédé subitement en 1964. En ce temps-là, c'était une pionnière, se battant sur tous les fronts et très attentive aux besoins sociaux de la région. Elle n'oubliait pas son premier et plus beau rôle, celui d'une mère aimante et attentionnée. La tradition du 15 août, fête de l'Assomption, est prétexte à mille et un rituels gourmands au Liban et plus particulièrement dans sa montagne. La Vierge Marie, célébrée ce jour-là, est la reine de la fête et des tablées familiales joyeuses et colorées. Qartaba, dans l'arrière-pays de Jbeil, abrite la maison familiale des Souaid. C'est là que Nouhad réunissait, tous les 15 août, famille et amis autour d'une merveilleuse *hrisseh* de blé et d'agneau à la cannelle.

Après une formation de philosophie et un parcours guidé par la culture, Nada Souaid est aujourd'hui directrice de la boutique du Musée de Beyrouth. Ses choix éclectiques et avisés ont redonné un nouveau souffle à cette belle institution où l'on trouve toujours de quoi faire des cadeaux élégants et utiles. Les gains engrangés par la vente contribuent à la réhabilitation de plusieurs salles et objets au Musée national.

« De tous les plats que ma mère préparait à l'occasion de son déjeuner annuel estival du 15 août, raconte Nada, rien n'égalait la *hrisseh* d'agneau. Les étés de mon enfance étaient couronnés par une réception dédiée aux amis « beyrouthins ». Pour honorer les citadins, ma mère choisissait des plats typiquement montagnards, comme le *kebbeh nayeh* (le *kebbeh* cru) et la *jebneh khadra* (fromage de chèvre frais typique de la montagne libanaise). Mais c'est bien évidemment la *hrisseh* qui était la vedette du repas ce jour-là. La veille, on avait déjà dressé dans l'allée centrale du jardin le foyer alimenté par un feu de bois. On y déposait le grand chaudron en cuivre destiné à recevoir les constituants du plat mijoté à petit feu. Femmes et hommes se relayaient pour remuer la préparation, afin que le mélange ne colle pas au récipient car la cuisson se prolonge durant plusieurs heures et donne à l'arrivée une consistance fluide et élastique au mélange. Préparée avec un soin et un savoir minutieux, la *hrisseh* fit toujours honneur aux invitations de ma mère. Je la reproduis rarement chez moi à Beyrouth aujourd'hui, mais lorsque je le fais, c'est toujours pour le plus grand bonheur de mes enfants, petits-enfants et mes nombreux neveux et nièces. Une chose est sûre : rien ne vaut le fait-maison ! »

RECETTE
12

Recette de la *hrisseh* d'agneau
de Nada et Nouhad Souaid

Ingrédients

Temps de préparation en cuisine : 3 à 4 heures.

Pour 8 personnes

1 kg de souris d'agneau

2 kg d'os d'agneau

3 verres de blé pour *hrisseh* (blé mondé ou épluché)

1 cuillère à soupe de sel

1 cuillère à soupe d'épices (poivre blanc, noir, doux)

3 bâtonnets de cannelle

Préparation

1   Laver les os et la viande d'agneau à l'eau claire.

2   Faire bouillir les os et la viande d'agneau dans 3 litres d'eau.

3   Écumer.

4   Ajouter le sel, les épices et les bâtonnets de cannelle.

5   Verser dans le bouillon le blé de la *hrisseh* après l'avoir bien lavé et rincé.

6   Laisser mijoter en ne cessant pas de remuer jusqu'à obtention d'une bouillie légèrement collante et parfumée.

7   Servir dans des bols individuels en saupoudrant de cannelle en poudre.

Youmna Goraieb
et Lucie Maalouf
Ghossein

La mouloukhieh des dimanches

Youmna Goraieb est devenue par hasard, mais avec un goût très sûr, un magnifique vecteur de transmission gourmande et de traditions libanaises. En pleine guerre civile, réfugiée avec sa sœur Leila dans la maison familiale du Haut-Metn, dans la montagne libanaise, elles modernisèrent ensemble le concept de la *mouneh*, cette tradition ancestrale de faire des provisions saisonnières, en fondant l'entreprise « *Mymouneh* ». Depuis 1989, elles assurent ainsi toutes les deux un revenu décent aux familles du village de leur enfance et exportent partout dans le monde une qualité de saveurs qui font le bonheur des gourmets et portent haut et beau les couleurs libanaises. Cette fille de diplomate se souvient avec tendresse de ses séjours, enfant, au Liban et une image d'Épinal revient illuminer son sourire et son regard : celle de sa mère confectionnant la *mouloukhieh*, plat fédérateur des joyeuses tablées du déjeuner du dimanche.

Nous sommes un dimanche dans la maison des Goraieb à Rabieh. 7, allée des fleurs et l'adresse est déjà une promesse de bonheur. Youmna reprend aujourd'hui la tradition et, sous le portrait au fusain de sa mère, raconte :

> « C'était le plat des dimanches et des jours de fête. Devant la maison familiale de Ain el-Kabou, un grand chaudron en cuivre était posé en plein air très tôt le matin. Ma mère préparait la *mouloukhieh*, ravie d'accueillir petits et grands. Elle en voulait sérieusement à tous ceux qui ne venaient pas s'asseoir à la grande table dressée sous les figuiers, se fâchait pour de bon lorsque par exemple un voisin ou un cousin éloigné passait son chemin sans s'arrêter. Elle l'interpellait à haute voix, ne comprenant pas comment on pouvait résister aux effluves du potage où se mêlaient senteurs de coriandre, de corète, de bouillon de viande relevé d'ail et d'oignons, et traitait d'anorexiques les farfelus qui refusaient d'y goûter ! Ce plat est donc pour moi vraiment synonyme de convivialité et d'amour. Aujourd'hui, cette recette est non seulement chère à mon cœur, mais elle fait surtout les délices de mes petits-enfants. Mon cœur bondit de joie quand je les entends murmurer des petits "humm humm" gourmands. »

Ce jour-là, j'ai partagé avec toute la famille de Youmna un plat de rois, entendu et émis aussi des « humm humm » pour le saluer et admiré surtout la fraîcheur de Maissa et Aya, ses jolies petites-filles, l'une s'affairant à la cuisine pour préparer la sauce qui accompagne le plat et l'autre fignolant gracieusement sa présentation. J'ai ainsi pu constater que dans cette belle famille, les traditions étaient bien servies et la mission de transmission culinaire parfaitement accomplie !

Recette de la *mouloukhieh*

de *Youmna Goraieb*

Ingrédients

Pour 10 personnes

2 gros poulets

2 kg de viande de bœuf prise dans le jarret

5 kg de *mouloukhieh* (corète) fraîche

10 gousses d'ail

5 gros oignons rouges

4 bouquets de coriandre

Sel, poivre doux, bâtons de cannelle

1 bouquet garni (sariette, thym et laurier)

Préparation

1   Effeuiller la *mouloukhieh* la veille de la préparation du plat et laisser sécher après lavage à l'eau les feuilles une à une.

2   Les étaler sur une nappe propre. Elles doivent être parfaitement sèches au moment de les hacher le lendemain.

3   Faire bouillir les poulets et la viande séparément en rajoutant sel, poivre, bâton de cannelle et bouquet garni.

4   Écumer le bouillon progressivement et retirer poulets et viande une fois cuits.

5   Rajouter deux bouillons de poulet Maggi.

6   Faire revenir ail et coriandre dans un peu d'huile neutre et les rajouter au bouillon.

7   Hacher les feuilles de *mouloukhieh* à la main ou au moulin électrique Magimix, sans trop le faire tourner sinon les feuilles noircissent.

8   Remettre le bouillon à cuire en rajoutant les feuilles progressivement. Dès que le mélange recommence à bouillir, éteindre le feu et laisser infuser. C'est la petite astuce héritée de maman, qui permet à la *mouloukhieh* de garder sa belle couleur verte.

9   Servir ce plat accompagné de riz blanc, de croûtons de pain arabe grillés et d'une sauce constituée d'oignons blancs et de jus de citron ou de vinaigre de pomme *Mymouneh* !

Annie Afeiche
et Aida Maila

Des pommes et des dieux

Annie Afeiche, archéologue de formation, est aujourd'hui, à la suite d'un parcours professionnel exemplaire, directrice générale et conservatrice du Musée national de Beyrouth. Visiter avec elle cet endroit où se trouvent les plus beaux objets archéologiques libanais équivaut à un repas gastronomique chez Bocuse... Elle raconte comme personne l'Antiquité et l'histoire d'un pays qu'elle porte dans son cœur et dont elle a largement participé à la préservation et la valorisation du patrimoine. À chaque fois que j'ai eu le plaisir de dîner chez elle, des plats faits maison étaient toujours au menu, car elle cuisine en plus comme une véritable déesse. Benjamine d'une famille de cinq enfants ayant chacun brillamment réussi dans son domaine, elle est elle-même mère de Myriam et d'Élias qu'elle a élevés entre Riyad, Montréal et Beyrouth et à qui elle a transmis, malgré exils et voyages, le goût d'une cuisine variée et cosmopolite, mais toujours faite avec amour. Myriam reproduit aujourd'hui plusieurs recettes de sa mère et en une seule bouchée, comme elle le dit si bien, retrouve en fermant les yeux la quiétude de la maison familiale de Baabdat. Annie me raconte ses souvenirs sous le regard d'Aphrodite :

« Parmi tous les bons souvenirs de mon enfance, Dieu merci très nombreux, plusieurs sont liés à la douceur des samedis après-midi. Douceur associée aux traditions sucrées de fin de semaine que ma mère mettait à l'honneur. Chaque samedi donc, la maison de mon enfance embaumait de l'odeur d'un gâteau qui cuisait. Le doux parfum qui se dégageait nous enveloppait d'une ambiance gourmande et suscitait notre curiosité. En allant de notre chambre vers la cuisine, nous essayions de deviner, mes frères, sœurs et

moi, chemin faisant, laquelle de ses nombreuses recettes elle avait décidé de faire ce jour-là. Gâteau au chocolat ? À l'ananas ? Marbré à la vanille ? Nous étions ravis lorsque nous trouvions une tarte aux pommes parce que la sienne avait une place à part dans nos cœurs et dans nos palais. Je suivais souvent le cérémonial minutieux que ma mère Aida avait mis au point pour la préparation de ce dessert. Ses mains de fée étalaient délicatement la pâte, la piquaient à la fourchette avant de poser par-dessus les tranches de pomme découpées si finement qu'elles en devenaient transparentes et qu'elle arrangeait en rosace. Elle enfournait ensuite la tarte et attendait patiemment qu'une belle coloration dorée vienne récompenser toutes ces attentions. Ce que je discernais surtout à chaque instant sur son visage, c'étaient les tonnes d'amour qu'elle mettait à l'ouvrage, anticipant, sourire aux lèvres, le bonheur de présenter le lendemain ce dessert qui faisait les délices de son mari Georges et de ses enfants au déjeuner dominical.

« Cette tarte, je l'ai à mon tour préparée maintes fois pour mon mari Nabil et mes trésors Myriam et Élias, le souvenir du sourire de ma mère lui insufflant, j'en suis sûre, à chaque fois un petit supplément de gourmandise. »

RECETTE
14

Recette de la tarte aux pommes

d'Aida Maila et d'Annie Afeiche

Ingrédients

Pâte brisée (250 g de farine de blé, 200 g de beurre, un œuf, 10 g d'eau et une pince de sel)

6 pommes Golden

1 cuillère à soupe de sucre

1 cuillère à soupe de sucre glace

4 à 5 cuillerées de confiture d'abricot

Préparation

1   Peler et couper les pommes en fines tranches et les disposer sur le fond de tarte piqué à la fourchette.

2   Saupoudrer des 2 cuillères de sucre et enfourner environ 40 minutes au four préchauffé à 200°C (thermostat 6-7), jusqu'à ce que la tarte prenne une belle couleur dorée.

3   Une fois cuite, étaler sur la tarte encore chaude les cuillerées de confiture d'abricot.

Karim Haidar

Un poète en cuisine

Juriste de formation, Karim Haidar est arrivé à la cuisine par pure passion. Je l'ai découvert à travers ses plats raffinés et toujours audacieux, où il secoue la tradition dans tous les sens pour en tirer de nouvelles saveurs. Son esprit curieux et sa volonté d'entreprendre le poussent à l'innovation permanente.

Écrivain gastronomique, il est coauteur avec Andrée Maalouf de *Cuisine libanaise* et plus récemment de *Saveurs libanaises*, parus tous deux chez Albin Michel. Il est également à l'origine de la fondation de l'Académie arabe de cuisine et de gastronomie.

« Mes premiers souvenirs de cuisine remontent de très loin, me raconte Karim, lors d'un déjeuner parisien. Ce sont surtout des images et des saveurs fortes qui me reviennent en mémoire. Dans ma petite enfance, je vivais avec mes parents au Sénégal où mon père occupait le poste d'ambassadeur du Liban. Ma première émotion gustative c'était le goût des mangues du jardin que nous mangions encore vertes avec du sel. Leur chair acidulée blanche et croquante contrebalancée par la saveur du sel est un souvenir intense... J'ai en mémoire aussi le goût de petits rougets frits que je passais des heures à dépiauter, seul.

À l'âge de dix ans, de retour avec ma famille à Beyrouth, plusieurs émerveillements gustatifs reçus comme des cadeaux de la part de mes deux grand-mères étaient au rendez-vous. Nazhat, ma grand-mère maternelle, cuisinait divinement bien. On me dit souvent d'ailleurs que j'ai hérité de ses gènes. Pour le goûter, elle nous avait un jour préparé du riz au lait recouvert d'un coulis de pâte d'abricot. Elle avait pris soin de le présenter dans un verre transparent pour nous en faire mieux apprécier les nuances de couleurs. Le mélange de consistances : riz, crème de lait et coulis, l'explosion de saveurs avec l'acidité de la pâte d'abricot (ou *amareddine*) relevant le lait adouci par la fleur d'oranger étaient tout simplement fabuleux. Je me souviens en avoir repris trois autres verres et de m'en être régalé... C'est également le nom qu'elle avait donné à ce dessert qui m'avait marqué : *gheim taht el-amar* (nuages sous la lune)... tout un programme ! Ce clin d'œil poétique décrivant le dessert comme un tableau m'avait enchanté. J'ai longtemps gardé cette image souvenir en moi et lorsque j'ai ouvert mon premier restaurant à Paris, "Au 29", j'ai tout de suite mis ce dessert à la carte en le baptisant "Coucher de soleil sur Bhamdoun embrumée", mélangeant le souvenir de ma grand-mère à mes propres souvenirs du Liban.

« Ma grand-mère paternelle, Safwat, était également passionnée de cuisine. Elle m'avait fait goûter, toujours aux alentours de mes dix ans, une variété de *kebbeh* qui avait totalement changé ma perception traditionnelle de ce plat iconique de la cuisine moyen-orientale.

« Je connaissais jusque-là le *kebbeh* d'agneau classique, cru ou cuit, farci d'oignons, de viande et de pignons, définition classique d'ailleurs du mot *kebbeh*. Et puis je découvrais chez ma *téta* une version différente, farcie de sumac, grillée et non frite. D'un coup, j'avais compris que le *kebbeh* n'était pas seulement un plat, mais pouvait être un monde merveilleux, varié, riche de saveurs étonnantes que l'on pouvait varier à l'infini.

« Ma tante Mona a ensuite pris la relève pour me présenter un *kebbeh* de potiron escorté d'une sauce à la betterave...

« Ces souvenirs sont certainement à l'origine du bar à *kebbeh* que j'avais installé également dans mon premier restaurant où je proposais *kebbeh* de pommes de terre et de poisson, à côté des variétés classiques. Je me suis mis ensuite à créer, autre que le *kebbeh*, de nouvelles associations de saveurs. En m'amusant à faire des gammes sur l'orgue des saveurs traditionnelles, j'osais de nouvelles associations : crevette et safran ; thon rouge, pistache et sumac ; lotte, *zaatar* et olive ; carotte, pistache et cerfeuil ; poulet, noisette et estragon ; aubergine, œuf de caille et 7 épices ; poire, cannelle et chocolat...

« En lisant un portrait fait de moi il y a quelques années par Jackie Durand dans le quotidien français *Libération*, devant le titre de l'article "L'orfèvre des *kebbés*", j'ai eu une pensée reconnaissante pour ma grand-mère Safwat et retrouvé, l'espace de quelques instants, la douceur de sa terrasse à Bhamdoun et le goût de ses *kebbeh* grillés doucement sur le barbecue. Me sont revenues également en mémoire ses consignes, servies en même temps que ses plats et selon lesquelles il faut toujours prendre le temps de goûter et non pas d'avaler, de mordre doucement dans la pièce de *kebbeh* pour en saisir toutes les nuances de saveurs. »

Bon sang ne saurait mentir et lorsqu'on a eu la chance, enfant, d'aller à une telle école, il est sûr qu'on porte en soi ce bagage de saveurs.

Recette du *kebbeh* grillé au gras d'agneau et sa sauce acidulée
de Karim Haidar

Ingrédients

Pour 30 *kebbeh*

Pour la pâte

500 g de viande d'agneau parfaitement dégraissée

350 g de *burghol* brun fin

1 cuillère à café de bicarbonate de soude

1 cuillère à café de sel

1 cuillère à café de poivre noir moulu

Pour la farce

200 g de gras d'agneau : *liyeh* ou gras des côtelettes

75 g de noix décortiquées

1/2 oignon blanc

1 cuillère à soupe de sumac

Sel et poivre noir moulu

Préparation

1 Couvrir le *burghol* à hauteur d'eau fraîche.

2 Laisser reposer 30 minutes au réfrigérateur.

3 Pendant ce temps, mixer tous les éléments de la farce au robot jusqu'à obtenir une pâte homogène.

4 Réserver.

5 Mixer le *burghol*, qui aura absorbé l'eau, la viande, le bicarbonate et les épices dans un robot avec 2 glaçons, jusqu'à obtenir une pâte lisse et homogène.

6 Remplir un bol d'eau fraîche.

7 Diviser la pâte en boules de 35 g.

8 Bien les rouler entre les paumes.

9 Humecter l'index et les paumes.

10 Creuser chaque boule avec l'index, en effectuant un mouvement tournant, de manière à avoir une forme de bourse.

11 Farcir d'une cuillère de farce et refermer.

12 Poser la boule, côté de l'ouverture sur un plat et appuyer de manière à avoir un dôme.

13 Préchauffer le four à 220°. Cuire 6 minutes et déguster en faisant attention à ne pas faire exploser le *kebbeh* : pour cela, mordre doucement dans chaque pièce.

14 Servir idéalement avec un mélange de betterave cuite râpée, de yaourt et de menthe séchée.

Nadim, Mona
et Lamia Ghantous

La recette de la maison d'Amioun

Je connais Mona et Nadim Ghantous depuis plus de vingt ans. La perspicacité de Nadim, doublée d'un savoir-faire rare dans le monde de la finance, l'a propulsé aux sommets dans son métier. La douceur de Mona, son épouse, et l'amour de ses filles Soraya, Léa et Hana-Mae, la petite dernière arrivée comme un cadeau à l'aube de ses quarante ans, y jouent aussi un grand rôle. Ce géant au cœur et au regard tendres a toujours eu une sensibilité particulière et lorsqu'il parle de son enfance, c'est toujours avec des images pleines de jolies couleurs.

Invitée dans sa maison familiale fraîchement rénovée d'Amioun, j'avais goûté à déjeuner, il y a quelques années, un délicieux plat d'haricots rouges au goût très particulier, légèrement fumé, qui m'avait mis les papilles en fête et le cœur en joie, un de ces plats simples du terroir, signé maison, et où vous goûtez également à une histoire.

Nadim m'a raconté que c'était le plat de sa grand-mère Lamia et une tradition familiale instaurée depuis plusieurs générations, qui se transmettait de mère en filles et de belles-mères en belles-filles.

La sœur de Nadim, Lamia, établie à Montréal, rentre plusieurs fois par an à Beyrouth. C'est à l'occasion d'un de ses passages que notre entretien a eu lieu, avant un repas pantagruélique préparé par Nadim et orchestré par sa femme Mona. Lamia, bombe d'énergie positive et joyeuse, était ce jour-là dans une forme olympique ! Calembours et jeux de mots émaillaient son récit, essayant de chasser un trop-plein d'émotion. Aussi bien pour elle que pour son frère, l'évocation de leurs parents, Fouad et Nouhad, remuait images et souvenirs... Leur exil au Canada durant la guerre civile, leurs incessants allers-retours, les petits mots tendres jetés par leurs parents par-delà mers et océans qui les accompagnaient à chacun de leurs voyages... Entre deux traits d'humour dont elle seule a le secret, Lamia raconte :

« Surnommé affectueusement le caviar d'Amioun par mon père Fouad Ghantous, ce plat de haricots rouges à l'huile est indissociable de notre histoire familiale, commente-t-elle. Ma grand-mère Lamia, heureuse épouse du Dr Anis Ghantous et mère comblée de cinq enfants, commençait à faire cuire la précieuse légumineuse dès l'aube. Les haricots lui étaient livrés par sacs de dix kilos. Vous pouvez trouver facilement aujourd'hui ces beaux lingots rouges intenses striés de blanc dans les échoppes du village, entassés souvent à même le sol entre paniers d'osier, lampes de poche made in China et savons à l'huile d'olive... Ma grand-mère les assaisonnait d'une poignée de cumin et d'une bonne rasade d'huile d'olive, puis les laissait cuire pendant de longues heures à feu doux, remuant la préparation de temps à autre. *Téta* Lamia a transmis la recette à enfants et petits-enfants. Vu la quantité qu'elle cuisinait, il n'a jamais été question de dosage, juste d'approximations laissées au libre jugement de l'héritier de la recette pour ses invités du jour. »

Pendant que Lamia junior me racontait l'histoire, Nadim décorait minutieusement les haricots, cuits la veille. Les oignons blancs frais disposés autour du plat, les tomates parsemées par-dessus, lui donnaient une allure élégante. Ce faisant, il rajouta au récit la seule phrase que son espiègle de sœur lui laissa glisser : « Ma mère disait qu'il faut nourrir l'œil pour ouvrir l'appétit ! »

L'appétit fut largement nourri ce jour-là, et avec ce voyage gustatif, nous prîmes tous ensemble le train du souvenir pour retrouver le bon air du Liban-Nord, les couleurs de la maison d'Amioun et le frémissement des frênes de son jardin.

Recette des haricots rouges

de Lamia, Mona et Nadim Ghantous

Ingrédients

Pour deux verres d'haricot rouge

500 g de haricots rouges

Un gros oignon rouge

5 gousses d'ail

Sel et poivre au goût

1 cuillère à soupe de mélasse de grenade

2 cuillères à soupe d'huile végétale

2 cuillères à soupe d'huile d'olive

2 cuillères à café de cannelle moulue

1 cuillère à soupe de concentré de tomate

Un bouillon végétal en tablette

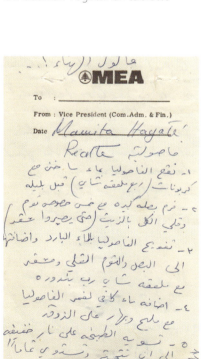

Préparation

1 La veille au soir, tremper les haricots avec une cuillère à café de bicarbonate alimentaire pour les attendrir et ce pendant 12 heures.

2 Le lendemain, mettre dans une cocotte-minute l'huile d'olive, l'oignon émincé et les gousses d'ail dégermées et pilées.

3 Rajouter au bout de quelques minutes les haricots et les recouvrir d'eau.

4 Rajouter ensuite la tablette de bouillon, la mélasse de grenade, le concentré de tomates, le sel, le poivre et la cannelle.

5 Mettre à cuire à feu doux, pendant 25 minutes, puis éteindre le feu et laisser le mélange reposer.

6 Ouvrir la cocotte-minute, rallumer le feu pour quelques minutes en remuant le mélange. Réajuster l'assaisonnement et servir accompagné de tomates, d'huile d'olive et d'oignons blancs.

Odile de Sahb
et Mathilde
de Saint-Léger

Odile ou la transmission heureuse

Mathilde est l'une de mes plus anciennes amies. Nous nous connaissons depuis notre enfance, par amitié familiale interposée. Nos parents avaient connu les mêmes pays, les mêmes exils et s'étaient retrouvés régulièrement au fil des ans, portés par les mêmes valeurs idéalistes et culturelles. Chose rare, nous nous étions également mutuellement choisies à l'adolescence, partageant la même passion de la lecture et du sport. Notre exil familial, chacune de son côté, vers l'Europe durant la guerre civile libanaise, nous avait rapprochées à Paris pendant nos études, elle d'ingénieur informatique et moi de médecine. Au fil des ans, notre amitié s'est alimentée de nos chemins respectifs. Nos rencontres aujourd'hui se font toujours autour d'un repas gourmand où nous prenons le temps de regarder passer le temps.

Après une thèse en sciences de l'information, Mathilde travaille aujourd'hui au CNRS dans un laboratoire de linguistique, mais trouve toujours le moyen de faire une cuisine délicieuse et inventive, dont le goût lui vient définitivement de sa mère Odile.

Femme chaleureuse au sourire solaire, Odile était déjà la complice de gourmandise de ma propre mère. Dans ma famille nous la surnommions affectueusement la « Michèle Morgan » du Moyen-Orient. Sa joie de vivre aussi délicieuse que sa cuisine continue à quatre-vingts printemps à lui faire faire tous les jours son marché boulevard Murat à Paris. Mariée à l'âge de dix-neuf ans avec l'idée de fonder très jeune une famille, elle est mère de six enfants. Son projet de vie était de nourrir, projet réussi haut la main puisqu'elle a maintenu, malgré les guerres et les exils, le goût de cet Orient auquel elle n'a jamais vraiment renoncé, en le mélangeant bien sûr aux goûts européens.

Mathilde raconte : « Alors qu'à notre arrivée en France, en 1975, mon père, probablement dans le but de nous intégrer plus facilement à notre pays d'adoption, nous encourageait à tourner la page et à essayer d'oublier le Liban qui se débattait dans une terrible guerre civile, ma mère, de son côté, nous nourrissait d'Orient tous les jours. Impossible pour elle d'oublier les goûts de son enfance qu'elle reproduisait à loisir, même si elle était parfaitement à l'aise avec la cuisine française. Elle faisait donc tous les jours se côtoyer en bonne intelligence plats libanais et français, et par touches délicates, mariait un bon taboulé à un rôti de veau et faisait rimer *hommos* avec baguette parisienne, sans souci.

« Véritable socle de la famille, elle ne dérogeait jamais à la tradition sacro-sainte du premier de l'an où tout Oriental qui se respecte se doit de manger un repas dans lequel dominait la couleur blanche, cela pour placer la nouvelle année sous les meilleurs augures. Elle nous réunissait tous donc, le premier janvier, autour de ce plat que j'apprécie énormément car, mis à part son goût unique, il est toujours consommé dans une ambiance festive et fédératrice qui rajoute du plaisir au plaisir.

« J'essaie de me rapprocher de sa perfection culinaire en reprenant de temps en temps ses recettes. Je les réinterprète parfois à ma façon, enlevant par-ci, rajoutant par-là. Mon mari Olivier de Saint-Léger et mes enfants adorent les saveurs libanaises, en particulier les petits mezzés. Leur addiction est totale par exemple au *zaatar* et au *baklawa*. Je suis heureuse aujourd'hui de leur avoir fait connaître, grâce à ma mère, les goûts d'un pays qu'ils connaissent finalement très peu mais qu'ils portent, comme moi, dans leur cœur. »

RECETTE

17

Recette du *kebbeh* au yaourt ou *kebbeh labanieh*

d'Odile et Mathilde

Ingrédients

1,5 litre de yaourt nature

800 g de viande de mouton ou de bœuf ou un mix des deux, hachés finement

400 g de *burghol*

100 g (1 verre) de riz rond cuit vapeur

125 g d'oignon (1 gros oignon)

100 g de beurre clarifié

Sel, poivre doux moulu, ou mélange en poudre de poivre blanc et noir, noix de muscade, clou de girofle, gingembre (5 épices)

Pâte de piments (à défaut, une petite cuillère à café de paprika moulu)

Quelques feuilles de menthe fraîche et quelques pincées de menthe séchée

Cumin

Préparation

LES BOULETTES DE *KEBBEH*

1 Laver le *burghol* puis le laisser tremper dans de l'eau froide (le couvrant pendant au moins un quart d'heure).

2 Au bout de ce temps-là, le presser fort pour en extraire l'eau.

3 Hacher l'oignon et le mélanger avec la viande jusqu'à complète intégration de l'oignon. L'opération se fait en général au moulin Magimix en incorporant la viande et le *burghol* au fur et à mesure.

4 Ajouter sel et poivre suivant le goût, parsemer de farine de blé (une petite cuillère à soupe) et laisser reposer l'ensemble pendant une heure au frais.

5 Préparer la farce du *kebbeh* en boulettes : façonner avec environ 10 g du mélange à chaque fois une petite boule ronde.

6 La farcir d'un peu de beurre clarifié saupoudré d'une épice (menthe sèche, cumin, paprika). Réserver ensuite les boulettes façonnées au frigo pour les durcir.

LA SAUCE AU YAOURT OU *LABANIEH*

1 Mettre à chauffer 1,5 litre de yaourt (idéalement de brebis).

2 Rajouter 250 g de *labneh*, à défaut, 2 pots de yaourt grec, dans lesquels on aura mélangé 2 cuillères à soupe de maïzena.

3 Incorporer le riz cuit.

4 Dès que l'ébullition commence, à petit feu, rajouter les boulettes de *kebbeh*.

5 Garder pendant quelques minutes une très faible ébullition, sans cesser de remuer.

6 Lorsque toutes les boulettes sont cuites, elles remontent flottantes à la surface de la sauce.

7 Arrêter alors la cuisson et servir le plat chaud saupoudré de menthe.

Une variante intéressante, réalisée une année sur deux par Odile, consiste à rajouter à la sauce, pour l'enrichir, des blancs de poulet simplement bouillis, parfumés aux herbes aromatiques et effilochés. Mais l'histoire ne dit pas si l'année, selon la variante choisie, sera plus ou moins faste. Qu'importe la sauce, pourvu que le blanc demeure !

Farouk
Mardam-Bey

Bons baisers de Ziryab

Né à Damas dans une famille aux traditions de table bien ancrées, Farouk Mardam-Bey n'a eu de cesse d'écrire et d'effectuer des recherches autour de la gastronomie. Passionné et passionnant, on pourrait l'écouter des heures raconter la table par le menu. Il est l'auteur de plusieurs ouvrages de cuisine dont le légendaire *Cuisine de Ziryab* (Actes Sud, 1998), livre auquel je reviens au moins une fois l'an, depuis que je l'ai découvert, tellement sa lecture est savoureuse.

Arrivé à Paris au milieu des années soixante pour parfaire sa formation de droit, Farouk y demeure depuis et se trouve aujourd'hui à la tête de la collection « Sindbad » d'Actes Sud. Partager un repas avec cet excellent cuisinier et très fin gourmet est une fête où le verbe complète toujours l'assiette avec élégance.

Lors d'un déjeuner parisien, Farouk se laisse aller à ses souvenirs et le vin le rend délicieusement poète :

« Je suis né à Damas dans une famille où les choses de la table avaient une grande importance. Ma mère Layla cuisinait très bien et avec mes tantes, aussi bien du côté paternel que maternel, notre cuisine à la maison ressemblait souvent à une ruche joyeuse d'où montaient de délicieux effluves. Les souvenirs olfactifs s'ajoutent aux images et l'odeur des épices généreusement utilisées reste gravée dans ma mémoire. Enfant, mon repas préféré était le goûter. Près de la maison, il y avait une échoppe d'où ma mère commandait souvent des *karabiges*, petits gâteaux à la pistache que le propriétaire Abou Nassif confectionnait à merveille. Il les accompagnait d'une crème battue à la racine de saponaire appelée *natef*, dont il avait le secret et qu'il travaillait de façon particulière, jusqu'à la rendre ferme et onctueuse. Incroyablement aérienne, elle tenait toute seule et s'étirait voluptueusement comme un baiser qui

se prolongerait, sensuel, très longtemps. Dans le quartier, on surnommait d'ailleurs ses gâteaux "les baisers d'Abou Nassif" (*bawsat* Abou Nassif) et leur seule évocation me fait encore saliver aujourd'hui. Quand je fus assez grand, vers l'âge de quatorze ans, pour aller les chercher moi-même, je restais de longues minutes à regarder cet homme travailler. Fasciné, j'en oubliais le temps et les cris de ma mère me ramenaient à la réalité. Je rentrais alors en courant à la maison, muni des précieuses pâtisseries.

« Du plus loin que je m'en souvienne, j'accordais une attention particulière aux repas et à tout ce qui était relatif à la cuisine. À la maison, notre plat vedette que ma mère Layla faisait à merveille et qui était présent sur toutes nos tables, fêtes comprises, était une simple recette de lentilles cuisinées avec une sauce acidulée au tamarin et parfumée à la coriandre. Un délice que même enfant, j'appréciais déjà beaucoup. On y rajoutait juste avant de le présenter des petits carrés de pain arabe frits.

« Le *harra' osba'o* (textuellement : "celui qui brûle les doigts") porte un nom difficile à prononcer et a été baptisé ainsi relativement à la dextérité du cuisinier ou de la cuisinière qui le préparait et à sa rapidité à saisir les croûtons frits et à en parsemer le plat sans se brûler les doigts. Les cuisiniers les plus lents s'y laissaient prendre... J'essaie de temps en temps de confectionner ce plat à Paris avec les moyens du bord. Le *harra' osba'o* est mon remède contre la nostalgie d'un pays que je porte pour toujours dans mon imaginaire et dans mon cœur. »

Recette du *harra' osba'o*

de Farouk et Layla Mardam-Bey

Ingrédients

Pour 6 personnes

250 g de lentilles brunes

2 cuillères à café de sel fin

75 ml de jus de tamarin

3 cuillères à soupe de jus de citron

75 ml d'huile d'olive

75 ml d'huile neutre pour friture

6 oignons rouges de taille moyenne épluchés et débités en lamelles

2 bouquets de coriandre verte triés, lavés et hachés

6 gousses d'ail dégermées

3 pains libanais découpés en petits carrés

1 grenade égrainée

Pour les rubans de pâte

325 g de farine de blé

200 ml d'eau

1 cuillère à café de sel fin

Préparation

1   Commencer par préparer les rubans de pâte en mélangeant farine, eau et sel. Bien mélanger et laisser reposer.

2   Au bout de 20 minutes, étaler la pâte sur un plan de travail fariné sur une épaisseur d'un demi-centimètre et la découper en longs rectangles fins.

3   Laisser sécher.

4   Cuire les lentilles à feu doux pendant 25 minutes en les recouvrant largement d'eau et en ajoutant le sel.

5   À mi-cuisson, ajouter aux lentilles le jus de tamarin et le citron, 3 gousses d'ail pilées, puis les lanières de pâte de façon progressive en remuant de temps en temps le mélange, jusqu'à la cuisson parfaite des lentilles.

6   Dans une poêle à frire, faire revenir dans l'huile végétale les carrés de pain découpés jusqu'à ce qu'ils soient bien colorés.

7   Retirer les carrés de pain frits et dans la même huile mettre les oignons.

8   Les remuer doucement jusqu'à ce qu'ils soient légèrement caramélisés.

9   Ajouter la moitié des oignons frits aux lentilles et garder l'autre moitié pour décorer le plat.

10   Dans une poêle, mettre les 3 gousses d'ail restantes pilées, avec la moitié du bouquet de coriandre et les faire revenir dans un peu d'huile végétale.

11   Verser les lentilles dans un grand plat de présentation.

12   Chauffer l'huile d'olive et la verser par-dessus les lentilles, puis rajouter la coriandre et l'ail.

13   Décorer avec les carrés de pain grillés et les grains de grenade.

Ce plat est meilleur chaud, mais il peut également se déguster froid.

Amin et Odette
Maalouf

Le pain du sérail pour un fin palais

C'est grâce au souvenir gourmand qu'il m'a amicalement raconté que j'ai mieux connu une de nos plus belles figures nationales libanaises. Amin Maalouf, bien que né à Beyrouth, passe les premières années de son enfance en Égypte, patrie d'adoption de son grand-père maternel qui a fait fortune dans le commerce à Héliopolis. Il arrive au Liban à l'âge de dix ans, muni d'un bréviaire gourmand métissé de saveurs levantines.

« Ma mère Laurice, issue d'un milieu francophone maronite, avait une branche de sa famille qui venait d'Istanbul, raconte Amin Maalouf. Excellente cuisinière, elle mettait un point d'honneur à maintenir les traditions gourmandes pour notre grand plaisir mes sœurs et moi. Elle maîtrisait particulièrement bien les desserts et parmi eux le *aich el-saraya* ou pain du sérail, dessert d'origine ottomane qui avait ma préférence et reste indissociable de mes souvenirs d'enfance. Est-ce à cause de son influence que la ville d'Istanbul jouit d'une place à part dans mon cœur ? Je ne saurais le dire, mais ma fascination pour ce dessert est totale.

« Cette recette était préparée dans la maison de mes grands-parents maternels à Héliopolis, le nouveau quartier du Caire. Ma mère affirme que le succès de ce dessert dépend du choix du pain. En Égypte, la famille utilisait du pain grec, rond et plat, à la croûte fine et à la mie légère. Une fois mariée avec mon père et installée à Beyrouth, ma mère s'est mise à utiliser le pain arménien, qui lui semblait avoir les mêmes qualités que le pain grec d'Égypte. »

Recette du *aich el-saraya* (pain du sérail)

d'Odette et Amin Maalouf

Ingrédients

Pour la pâte

1 grand pain rond arménien

Pour la graniture

700 g de *achta* (crème de lait)

Caramel (150 g de sucre en poudre, 15 cl d'eau)

Pour le sirop

250 g de sucre en poudre

1 cuillère à soupe d'eau de fleur d'oranger

1 cuillère à soupe d'eau de rose

35 cl d'eau

Pour décorer le plat

Un pot de confitures de dattes entières (les dattes seront coupées en 2 dans le sens de la longueur)

Préparation

1 Faire un caramel en versant le sucre dans une petite casserole à fond épais, sur le feu, sans eau, pour le faire fondre, sans mélanger.

2 Dès que le sucre fond et commence à brunir, verser 10 cl d'eau et continuer à mélanger sur le feu jusqu'à ce que le caramel fonde complètement dans l'eau.

3 Préparer ensuite le sirop en faisant bouillir 35 cl d'eau et 250 g de sucre dans une casserole pendant 7 min.

4 Hors du feu, ajouter l'eau de fleur d'oranger et l'eau de rose.

5 Mélanger le caramel et le sirop.

6 Préchauffer le four à 160°C (thermostat 6).

7 Frotter le pain avec une râpe à fromage pour le débarrasser de sa croûte, ce qui permettra à la mie de bien s'imprégner du sirop.

8 Couper la mie de pain en deux disques d'égale épaisseur : 2 cm environ.

9 Poser les mies de pain dans un plat allant au four et les faire sécher pendant 25 à 30 min.

10 Mettre ensuite chaque moitié, côté croûte vers le bas, dans une poêle antiadhésive sur feu moyen et verser dessus délicatement le sirop afin que la mie en soit bien imbibée.

11 Retirer la poêle du feu lorsque le sirop est absorbé par le pain.

12 Les laisser tiédir puis les mettre au frais pendant au moins 2 heures.

13 Placer le premier disque de pain sur un grand plat.

14 Avec une cuillère à soupe, poser la *achta* sur la mie, la couvrir intégralement. Égaliser le bord puis placer le deuxième disque de pain au-dessus de la *achta*.

15 Couvrir également d'une fine couche de *achta*, puis poser dessus les dattes confites.

16 Conserver au frais jusqu'au moment de servir.

Lina Abi Rached

Entre vallée et Loiret, des gnocchis et des idées

Abandonnant à regret ses études de journalisme avec sa première maternité, Lina Abi Rached s'occupe aujourd'hui avec plaisir de décoration d'intérieur pour seconder son mari Jihad. Cette jeune femme solaire et dynamique, curieuse de tout et surtout d'alimentation, vit avec sa famille entre Wadi Chahrour, petit village rieur et verdoyant surplombant Beyrouth au Liban, et le Loiret en France. Les hasards de la vie et de la guerre font quelquefois bien les choses. Élevée dans la langue du Mutanabbi, elle est francophone autodidacte et fière d'élever ses enfants dans l'amour du français.

Me prenant probablement pour l'*Encyclopedia Universalis* de l'alimentation, elle me posait à chaque consultation pour ses enfants mille et une questions sur les vertus de tel ou tel autre aliment. Ce à quoi j'essayais de répondre en mettant en relief la notion de plaisir de la table, indissociable bien sûr de sa qualité. Suite aux vitamines prescrites en potions magiques recommandées, nous sommes devenues de véritables complices de gourmandise. Elle arrivait, pratiquement à chaque rendez-vous, les bras chargés de fruits de son jardin, de petits plats faits maison et de confitures, guettant mon avis sur sa production artisanale.

De parents agriculteurs, Lina Abi Rached a été élevée dans une famille originaire de la Békaa du Nord où la cuisine a toujours eu une grande importance. Notre entretien se passe chez elle, dans une maison qui respire la joie de vivre et où sont disposées les mille et une gourmandises qu'elle a mis deux jours à préparer, mettant à contribution toute la famille, y compris sa grand-mère Hafiza, arrivée spécialement pour l'entretien.

Le plat de son enfance est là aussi, en vedette sur la table, préparé en quantité astronomique. C'est le premier jour du printemps et la Fête des mères au Liban. Essayant de calmer ses trois enfants qui s'appliquent à picorer la décoration des desserts, Lina raconte :

« Je suis née à Ainata el-Arz, un village de beauté et d'abondance situé dans la Békaa-Ouest. Élevée à Beyrouth, les étés de mon enfance sont peuplés d'images de prairies verdoyantes, de vignes et de vergers et ma mémoire est remplie de goûts campagnards. Enfant, je me souviens de ma mère et ma grand-mère qui cuisinaient ensemble à la maison en écoutant les chansons de Fairouz. J'ai encore le goût du pain épais, le pain tannour fait à la maison avec le blé de nos champs. Mon père était agriculteur.

« Aujourd'hui, devant l'environnement écologique catastrophique en ville, j'essaie d'emmener mes enfants le plus souvent au village pour leur donner un petit peu de ces saveurs authentiques qui faisaient mon bonheur. Leur faire apprécier le goût du lait frais ou des œufs pondus du jour qu'ils ramassent avec des petits cris de joie à la ferme voisine, leur montrer un élevage de moutons et des prairies encore verdoyantes au Liban pour leur donner une image plus agréable de ce pays sont pour moi un devoir. Zad, l'aîné qui a 10 ans et demi, et sa sœur Farah, 9 ans, ont très tôt remarqué que tout ce qu'ils mangent a meilleur goût à la campagne.

« J'aime cuisiner et je le fais volontiers avec mes enfants, exactement comme le faisait ma mère avec moi. Je trouve que c'est un apprentissage très important qui leur donne le goût des bonnes choses et que la cuisine est source de joies simples et quotidiennes.

« Le plat de mon enfance ce sont les *maakaroun* à l'ail (variété de gnocchis à l'ail). Ce plat appartient à l'histoire de ma famille et fait partie à la maison de nos rituels de carême dont le souvenir est gravé dans mon cœur. Ma grand-mère tenait déjà la recette de sa mère et aujourd'hui nous la confectionnons toutes ensemble le soir du Vendredi Saint.

« Cette année, pour la première fois, ma fille Farah a réclamé de nous rejoindre en cuisine pour nous aider à façonner ces petites pâtes. C'était très joyeux et elle a parfaitement réussi à reproduire les gestes exacts pour les rouler et les décorer. Quand elle a fièrement déposé son plat sur la table, un tonnerre d'applaudissements lui a certainement donné pour toujours le goût de la cuisine maison ! »

La petite Farah en question, indifférente à l'agitation autour d'elle, voyant que l'entretien se prolongeait, était à ce moment-là en pleine extase alimentaire avalant par cuillerées généreuses la salade de fruits rouges préparée par sa mère en partageant équitablement les meringues avec ses frères.

RECETTE

20

Recette des maakaroun à l'ail

de Hafiza et Lina Abi Rached

Ingrédients

1 kg de farine de blé complet, bio de préférence

200 g d'eau

1 cuillère à café de sel marin

1 sachet de levure boulangère

Préparation

1 Préparer la pâte la veille en mélangeant tous les ingrédients.

2 Laisser reposer toute la nuit dans un récipient recouvert d'un linge et dans une pièce à température tiède.

3 Le lendemain, diviser la pâte en plusieurs pâtons.

4 Les rouler un à un en une longue ficelle et découper des petits rectangles.

5 Les décorer un à un avec une fourchette en y imprimant une marque avec le dos de la fourchette.

6 Faire bouillir dans une grande casserole de l'eau et y ajouter une cuillère à soupe de sel, y jeter les morceaux de pâte et laisser cuire. Dès que les pâtes sont cuites, elles remontent à la surface.

7 Les recueillir avec une écumoire et les mélanger, encore chaudes, à une sauce faite d'un tiers d'huile d'olive, un tiers d'eau et un troisième tiers de jus de citron.

8 Déguster tiède.

Youssef Akiki

L'enfance d'un chef

Originaire du village de Hrajel dans la montagne du Kesrouan, Youssef Akiki est un des chefs les plus talentueux de Beyrouth. Arrivé très jeune dans le métier, quasiment autodidacte, il a gravi un à un les échelons de sa formation, grâce à sa volonté et sa ténacité continues, la curiosité sans cesse en éveil à peaufiner sa formation tous les jours, doublée d'un apprentissage régulier chez les plus grands noms de la cuisine française, comme Ducasse et Robuchon.

Sa cuisine est élégante, éclectique et épurée, et sa recherche du beau et du bon est quotidienne. Tout cela enveloppé d'une modestie et d'une gentillesse remarquables. Nous entretenons depuis des années une amitié gourmande et, à chacune de mes visites au Burgundy, le restaurant de Beyrouth où il officie, nous partageons impressions et idées gourmandes et il m'étonne à chaque fois par ses audaces d'association de goûts et sa curiosité des nouvelles saveurs. Immédiatement emballé par mon projet, il me raconte ses souvenirs en plusieurs étapes :

« J'ai eu très tôt le goût de la cuisine en regardant avec attention travailler ma mère Saydeh en cuisine. Ses gestes précis et son intransigeance vis-à-vis de la qualité des ingrédients m'ont transmis pour toujours le goût du travail bien fait et la consécration du produit de saison. Pour elle, jamais de surgelés ni de boîtes de conserve. Elle continue à constituer elle-même chaque année toute sa *mouneh*, sanctifiant cette tradition libanaise qui consiste à mettre l'été en bocaux pour réchauffer l'hiver : compotes de fruits, concentré de tomates, confitures, sirop de mûres... Elle suit les recettes de sa propre mère et m'expliquait déjà, tout petit, ainsi qu'à mes sœurs, les étapes de la préparation. Elle est très fière aujourd'hui du métier que j'ai choisi et apprécie ma cuisine, même si elle ne peut s'empêcher de donner son avis sur mes sauces, les rectifiant de temps en temps pour les mettre à son goût. Devenue familière avec les produits les plus divers que je lui fais découvrir au Burgundy, elle jongle désormais avec des terminologies exotiques telles que miso, wasabi, shiso, en véritable porte-parole de la fusion food en plein Kesrouan !

« Même si je suis curieux de cuisines asiatiques et occidentales, je reste un amoureux inconditionnel de la cuisine libanaise et rien ne peut égaler pour moi un bon taboulé. Bien mesuré, il laisse deviner l'intelligence de goût de la personne qui l'a préparé. J'aime également les plats cuisinés à l'huile, en particulier tous les farcis réalisés durant la période du carême : blettes, choux, courgettes et feuilles de vigne. Et enfin les lentilles dont je ne me lasse pas et qui peuvent être préparées de dizaines de façons. Les *fatayers ariché* (petits chaussons libanais à la brousse de brebis ou de chèvre) sont la signature de notre cuisine à la maison. Elles sont de toutes les fêtes et de toutes les réunions familiales. C'est avec joie que j'en partage la recette avec vous. »

Chez les Akiki, vous l'aurez compris, la cuisine est une affaire de famille et ce perfectionnisme gourmand est passé avec grâce de mère en fils. Pour notre plus grand plaisir !

RECETTE
21

Recette des fatayers

de Saydeh et Youssef Akiki

Ingrédients

1 kg de pâte à pain

150 g de viande de bœuf hachée et revenue à la poêle dans un peu d'huile de cuisson

1 oignon rouge moyen émincé

2 tomates marmandes coupées en dés

500 g de brousse de brebis (*ariché*) nature

500 g de brousse de brebis salée

2 pincées de menthe séchée

Préparation

1   Mélanger tous les ingrédients.

2   Étaler à chaque fois une cuillère à soupe du mélange sur un disque de pâte à pain de 25 cm.

3   Cuire au four ou, si cela vous est possible, sur un *saj* de cuisson à la libanaise.

Médéa et Maryse
Azouri

Diva des mots et diva aux fourneaux

Maryse est la gardienne du temple de la famille Azouri. Femme de goût, longtemps épouse et passionnément mère, elle a vécu de longues années parisiennes où elle a essayé de faire au quotidien une cuisine alliant les saveurs libanaises à celles de son pays d'adoption. Invitée un soir à sa table, j'avais retenu la saveur d'un gigot particulièrement parfumé, auquel elle avait donné du relief en l'habillant de condiments et d'épices. Elle avait réussi, ce soir-là, à me rendre aimable le gigot, généralement absent du *hit-parade* de mes plats favoris, l'arrachant totalement à la banalité.

Médéa, belle figure de la presse francophone libanaise, journaliste à *L'Orient-Le Jour*, rédactrice en chef du magazine mensuel *Noun*, animatrice à Radio Nostalgie, elle cumule les casquettes avec brio et son franc-parler fait écho à la pensée de toute une génération. Témoignages d'une époque qu'elle décrit avec un mélange de fatalisme et de dérision, ses billets du samedi interpellent et pastichent avec bonheur le quotidien. Certains de ses textes sont même mis carrément au programme d'apprentissage dans certains établissements scolaires. Notre entretien se passe chez elle, dans un cadre qui lui ressemble, simple et stylé, meublé de livres, de photos et de musique. Maryse raconte d'abord :

« J'ai mis au point cette recette à Paris, il y a plus de vingt-cinq ans. Cela afin d'adapter le gigot consommé presque cru en France à mon goût libanais. Il est très vite devenu un plébiscite que l'on me réclame à toutes les occasions. »

C'est Médéa qui poursuit joyeusement le récit :

« Le secret d'un plat réussi lorsque l'on est débutant en cuisine est d'essayer de reproduire une recette que l'on a déjà goûtée et appréciée chez quelqu'un auparavant. On tente alors de se rapprocher le plus possible de la saveur que l'on se remémore en goûtant pendant la préparation. Le deuxième secret d'un plat réussi c'est qu'il faut aimer manger. Le troisième et le plus important est la générosité, et c'est à mon avis l'ingrédient le plus important. Les gens qui vous donnent à manger vous donnent leur cœur. Si l'on veut vraiment se faire un ami, il faut aller chez lui et partager un repas ensemble. Ma mère m'a donné ses recettes, mais il m'arrive d'y apporter quelques modifications que je lui propose par la suite. La cuisine que je maitrise le mieux est la cuisine libanaise et il m'arrive d'aller la faire au restaurant Tawlet de temps à autre à la demande de mon ami Kamal Mouzawak. Avec une autre amie à moi, Carla, je me lance également avec passion depuis quelque temps dans la pâtisserie. »

Au moment de terminer notre entretien, un petit prince déboule dans le salon, teint diaphane et regard de sa mère. Tout sourire, Raphael se jette dans les bras de sa grand-mère, négociant une sortie cinéma avec ses copains. À ma question à propos de son plat préféré, il répond sans hésitation avec un cri du cœur « Le gigot de *téta* Mysa ! » Je ne sais si l'enjeu cinéma-sortie lui a soufflé sa réponse ce jour-là, mais la vérité venant toujours de la bouche des enfants, c'était plus qu'une consécration, une étoile Michelin !

RECETTE

22

Recette du gigot de 7 heures

de Maryse et Médéa

Ingrédients

1 gigot de 5 à 6 kilos (ou 2 petits)

2 bouteilles de vin rouge

10 à 15 gousses d'ail

Moutarde forte et Savora

Sel, poivre, cannelle, romarin, thym

Eau

Préparation

1 Trouer le gigot et y glisser l'ail.

2 Enduire le gigot de poivre blanc, poivre doux, cannelle, thym et romarin.

3 Enduire le gigot avec les deux moutardes.

4 Mettre le vin (une bouteille) dans le fond du plat avec de l'eau.

5 Rajouter le poivre blanc, le poivre doux, le thym, le romarin placé directement sur le dessus du gigot.

6 Couvrir le gigot avec de l'aluminium.

7 Préchauffer le four à 200°.

8 Mettre le gigot pendant 7 heures à 220°-240°.

9 Chaque demi-heure, sortir le gigot, verser le jus dessus.

10 Retourner le gigot au bout de 3 heures.

11 Rajouter du vin en milieu de parcours, quand c'est desséché.

12 Au bout de 4 heures, mettre du sel.

13 Utiliser la sauce et la fouetter, puis servir à côté.

Hana et Hindo
Hibri

Pythagore et Himalaya

Hana Hibri est une passionnée passionnante. Amoureuse de la montagne, férue de marches et d'escalades, elle a traversé le Liban à plusieurs reprises, du Nord au Sud, empruntant sentiers et crêtes, comme pour prendre de la hauteur et continuer à voir la beauté d'un pays livré tous les jours un peu plus aux rois du béton.

Militante active au sein de la « Lebanese Mountain Trail Association », elle a mis sa passion en mots et en photos dans un livre magnifique qui raconte un Liban de sommets verdoyants et passe son temps à organiser des randonnées pour le faire découvrir. Influencée par sa formation d'ingénieur à l'Université américaine de Beyrouth, elle escalade au quotidien l'Himalaya du goût, faisant une cuisine mathématique mais surtout très savoureuse.

Déjeuner chez elle est toujours amusant car ses plats sont présentés comme des équations : les composants en abscisse, les condiments et les sauces en coordonnées et les desserts en figures géométriques. Chaque invité compose son assiette suivant son humeur, donnant ainsi des variations subtiles d'un même plat, le tout formant à l'arrivée un ensemble coloré et chaleureux. Si le cadre enchanteur de la maison des Hibri à Chemlane est inspirant, la table y est toujours captivante. De ses randonnées, Hana rapporte beaucoup de produits du terroir libanais et les présente astucieusement à table. C'est toujours passionnant de l'écouter raconter une région. Hôtesse attentive, la questionner sur son enfance gourmande s'imposait comme un théorème de Pythagore : une certitude. Hana raconte :

« Mes souvenirs d'enfance gourmands sont liés à deux influences : maternelle pour la précision des recettes, paternelle pour ce qui est de la présentation et les deux pour ce qui est de l'art de recevoir.

« Lorsque j'étais enfant, être fille de diplomate était un challenge permanent. Nous étions sans cesse ballottés d'un pays à l'autre, laissant à chaque fois derrière nous amis de classe et habitudes quotidiennes. Mais heureusement, cette façon de vivre avait aussi ses côtés agréables et était vecteur d'une grande richesse culturelle et gustative. Mes premiers souvenirs gourmands sont liés à l'Italie où mon père, Saïd Hibri, occupait le poste d'ambassadeur du Liban. Me reviennent en mémoire les images d'une maison toujours pleine de rires, d'amis et de tables somptueusement garnies. Nous avons vécu six années d'affilée en Italie. C'est là que ma mère, Hindo, a développé sa passion de la cuisine italienne et perfectionné ses recettes. Cette expérience lui a fait carrément écrire un registre entier de recettes italiennes qui faisaient notre joie à mon frère, ma sœur et moi et font aujourd'hui celle de nos enfants.

« Recevoir pour moi est un véritable art. Un repas réussi n'est pas uniquement question de mets, mais également de présentation de la table. Le fait d'en parler aujourd'hui fait ressurgir une image chère à mon cœur, celle de mon père penché sur les plats de service lors d'une réception, arrangeant par-ci, décorant par-là, attentif à tous les détails En tant qu'ambassadeur, on aurait pu se dire que cela faisait partie de ses fonctions, mais pour lui, c'était une véritable passion. Que ce soit pour de grandes occasions comme la fête de l'Indépendance du Liban, ou pour de simples dîners entre amis, il prenait un plaisir immense à choisir nappes, bougies et fleurs. Le personnel courait dans tous les sens pour répondre à ses demandes et il finissait malgré tout par disposer lui-même services en porcelaine et verres en cristal. Ma mère, quant à elle, avait plus cette exigence à la cuisine et la faisait très souvent elle-même.

« Aujourd'hui lorsque je reçois des amis, ma première préoccupation est de dresser une jolie table avec une pensée tendre et reconnaissante pour mon père. En ce qui concerne ma mère, je la remercie tous les jours de m'avoir donné le goût de la cuisine qui fait le bonheur de mon mari, mes trois fils et j'espère, bientôt, celui de mes petits-enfants. »

RECETTE
23

Les lasagnes vertes
de Hana et Hindo Hibri

Ingrédients

1 paquet de lasagnes vertes sèches

3 tasses de mélange de fromages constitué d'un tiers de mozzarella, d'un tiers de parmesan râpé et d'un tiers de fontina râpé

Pour la sauce bolognaise

2400 ml de tomates pelées et épépinées

1 oignon rouge émincé

600 g de viande de bœuf hachée

2 gousses d'ail

1/2 tasse de basilic frais haché

Sel et poivre au goût

2 cuillères à soupe d'huile d'olive

125 g de champignons de Paris émincés

Pour la sauce blanche

1 litre de lait chaud

2 cuillères à soupe d'huile d'olive

2 cuillères à soupe de beurre

4 cuillères à soupe de farine de blé

1 cuillère à soupe de muscade moulue

Préparation

1 Faire bouillir les feuilles de lasagne dans de l'eau salée, puis les faire sécher une à une en les étalant sur une serviette.

2 Pour la sauce bolognaise, faire blondir les oignons dans un peu d'huile, puis rajouter l'ail et remuer deux minutes.

3 Rajouter les tomates pelées avec leur jus, couvrir et laisser mijoter quelques minutes.

4 Rajouter les feuilles de basilic frais et stopper la cuisson.

5 Pour la sauce blanche, mélanger beurre, huile et farine pour faire un roux à feu très doux.

6 Enlever le récipient du feu et ajouter le lait chaud sans arrêter de tourner jusqu'à ce que le mélange épaississe un peu.

7 Remettre sur feu doux et attendre que le mélange commence à bouillir sans cesser de remuer.

8 Arrêter la cuisson et rajouter la noix de muscade râpée.

9 Couvrir et garder de côté.

10 Dans un plat de cuisson, commencer par verser une couche de sauce blanche.

11 Recouvrir d'une couche de lasagnes, rajouter la moitié de la sauce bolognaise et la parsemer de la moitié du mélange de fromage.

12 Recouvrir d'une couche de lasagnes et recommencer l'opération jusqu'à ce que tous les ingrédients soient utilisés en lissant la surface avec un peu de sauce blanche et de fromage râpé.

13 À l'aide d'un couteau, quadriller le mélange avant d'enfourner pendant 45 minutes à four moyen (150º/180º).

14 Laisser refroidir pendant quinze minutes à la sortie du four avant de déguster.

Eileen et Dicky
Margossian

Les beureks en chantant

Dicky Margossian était épouse et mère, carrière classique de bien des femmes dans les années cinquante, qui avaient mis souvent leurs aspirations en sourdine pour se conformer au moule classique oriental imposé de l'époque. Dicky était avant tout une perfectionniste et une gastronome éclairée avec ce cœur permanent à l'ouvrage et la détermination de la communauté arménienne à laquelle elle appartenait.

Nous nous sommes connues à Paris. J'étais la pédiatre de ses petits-enfants et nous avions une passion commune pour la cuisine. La guerre faisait rage au Liban et elle se partageait alors entre son fils installé à Paris et sa fille à Montréal. Cuisiner l'aidait à supporter l'exil et, à chaque fois que la vie était trop lourde à porter et la noirceur des images télévisées montrant le Liban dévasté des années quatre-vingt trop dures à regarder, Dicky m'appelait au téléphone pour passer prendre un café.

Notre maison parisienne était toujours ouverte et le dimanche, un plat fédérateur toujours au menu. Les amis déboulaient à toute heure et il nous arrivait d'y tenir à cinquante avec des tables disposées en hâte dans le jardin. Regarder ensemble le désastre libanais à la télévision nous soudait les uns aux autres et la table nous réchauffait le cœur. Dicky arrivait toujours le sourire aux lèvres et deux brioches *tcheurek* à la main. La confection de ce gâteau traditionnel arménien, parfumé de lentisque, était sa forme de résistance à elle et sa réponse à l'absurdité de la guerre. Cuisiner l'aidait à oublier la pharmacie dévastée de son mari, située près de la ligne de démarcation de Beyrouth, et leur séparation obligée à tous deux. Nous échangions recettes et astuces, égrenant les heures bercées de gourmandises. Elle occupait une place à part dans mon cœur : elle était un de ces cadeaux que la vie vous réserve parfois.

Eileen, la fille de Dicky, est dentiste installée au Canada depuis la fin de sa scolarité au Lycée français de Beyrouth. Notre amitié s'est installée par Dicky interposée. Fine et généreuse, Eileen a hérité du sourire et de la bienveillance de sa mère et heureusement de ses merveilleuses recettes. Notre entretien se fait par téléphone. Très émue en même temps qu'emballée par le projet, Eileen hésite entre plusieurs recettes et finit par en choisir une qui lui tient particulièrement à cœur depuis le décès de sa mère. Pudique, elle essayait d'endiguer par une phrase humoristique le trop-plein d'émotion qui la saisissait à chaque souvenir évoqué. Nous avons ensuite correspondu par mail où l'espièglerie habituelle d'Eileen masquait plus facilement son émoi.

« La vie de ma mère était rythmée par la maison et la cuisine. Dicky faisait tout avec finesse, élégance et toujours une pointe d'humour. Elle prétendait par exemple que chantonner en préparant ses *beureks* était la garantie d'un meilleur feuilleté. Ces délicieux petits chaussons étaient présents à tous nos repas. »

J'ai goûté à plusieurs reprises les *beureks* de Dicky et c'étaient les meilleurs du monde ! Son regard rempli d'amour devant les mines réjouies de ses invités reste pour moi un souvenir aussi indélébile que le feuilleté de ses petits chaussons.

Recette des *beureks* (chaussons au fromage)
de Dicky Margossian

Ingrédients

Pour une trentaine de *beureks*

Pour la pâte

3 œufs

1 tasse à café d'eau (format espresso)

2 cuillères à soupe d'huile de tournesol

1 pincée de sel

3 tasses de farine

Pour la farce

400 g de fromage blanc *akkaoui*

400 g de mozzarella

Pour la cuisson

Huile Mazola (environ 1 tasse, à ajuster selon la dimension de la poêle. Les *beureks* sont à moitié submergés dans l'huile)

Suppléments Dicky

Le doigté, la précision et la finesse de travail.

Le chantonnement qui accompagne la préparation et qui lui insuffle la bonne humeur qu'on retrouvera sous la dent.

Le regard interrogateur lorsque les *beureks* sont dégustés : le fromage s'effiloche-t-il à souhait ? La pâte est-elle bien feuilletée ? Les convives apprécient-ils ? La satisfaction se lit-elle sur le visage des attablés ? Sont-ils de bonne humeur ? Est-ce que c'est bon ?

Oui ? Mission accomplie !

Préparation

PRÉPARATION DE LA FARCE

1. Râper et mélanger les deux sortes de fromage.

2. Réserver.

PRÉPARATION DE LA PÂTE (LA VEILLE)

1. Dans un bol, mélanger les ingrédients avec les doigts et pétrir la pâte qui se forme graduellement.

2. Couvrir la boule ainsi formée avec de la cellophane et laisser reposer toute la nuit.

3. Diviser la pâte ainsi obtenue en 3 parts.

4. À l'aide d'un rouleau à pâtisserie, étaler une part de pâte sur une grande surface saupoudrée d'un peu de farine, en une couche circulaire très mince et fine (environ 60-70 cm de diamètre).

5. Découper à l'aide d'un verre des petits ronds et placer le fromage râpé au centre.

6. Replier une extrémité de la pâte sur celle diamétralement opposée de façon à obtenir un triangle.

7. Sceller délicatement avec les doigts les pourtours de ce triangle.

CUISSON

1. La technique de cuisson est artisanale et importante afin d'obtenir un feuilleté idéal et uniformément cuit. De plus, elle préviendra l'ouverture du chausson et la « fuite » locale du fromage (il ne suffira donc pas de plonger les *beureks* dans de l'huile chauffée).

2. Dans une poêle, faire chauffer l'huile de tournesol à feu moyen (un petit bout de pain qui finit par y rosir témoigne de la température idéale atteinte).

3. Placer les *beureks* dans cette huile légèrement frétillante (l'huile ne recouvrira les *beureks* qu'à moitié) et à l'aide d'une cuillère à soupe, arroser sans arrêt le dos exposé des *beureks* avec l'huile de cuisson pour aider à ouvrir la pâte.

4. Lorsque le *beurek* a cuit à satisfaction (bien doré et pâte bien feuilletée), il est placé sur un papier buvard pour en absorber l'excès d'huile et doit impérativement se déguster chaud.

5. Un *beurek* Dicky sera doré, feuilleté en finesse, et le fromage bien fondant à l'intérieur. Les deux parties du *beurek* entamé doivent être reliées par un fil de fromage fondant et ça fait son petit effet.

Youssef Chami

Extrasystoles et profiteroles

Youssef Chami est cardiologue, mais aurait tout aussi bien pu être critique culinaire. De tous mes collègues médecins, c'est certainement un des plus doués côté cuisine. Nous échangeons depuis des années recettes et adresses gourmandes. C'est un fin observateur et un fin palais. Ses prescriptions gourmandes sont toujours justes et bien ciblées. L'homme est attachant parce que sa part d'enfance est très présente et qu'il est toujours ému lorsqu'il parle de la maison et des traditions de son enfance. Il les invite dès qu'il peut dans la conversation et les partage volontiers.

« Du plus loin que je m'en souvienne, j'ai toujours été gourmand. Mon premier souvenir est celui de la tablette de chocolat suisse brandie par ma mère pour me faire accepter les injections d'antibiotiques indispensables au traitement qui m'avait été prescrit pour enrayer les angines à répétition dont j'ai souffert toute mon enfance.

« Pour mon éducation gastronomique, c'est plutôt mon père qui m'avait mis très jeune le pied à l'étrier. C'était quelqu'un de très exigeant dans tous les domaines. Les repas ne dérogeaient pas à la règle. Pour lui, nourrir était un plaisir qui avait ses codes et ses manières, contrairement à ma mère pour qui la nourriture était juste un besoin vital. Papa recherchait les saveurs justes et les cuissons exactes pour exhaler le meilleur d'un produit et le faire s'exprimer. Enfant, je l'entendais critiquer telle ou telle préparation, et j'essayais d'imaginer ce que ce plat aurait gagné s'il avait été préparé différemment. Mon apprentissage s'est donc fait aussi par la critique et ma mémoire gustative s'est ainsi enrichie de mille et une références. Nous faisions beaucoup de virées gourmandes, aussi bien au Liban qu'à l'étranger. Je le vois encore s'arrêter dans un village pour acheter une spécialité locale et me la faire goûter, me faisait repérer sur les étals de fruits ceux qui avaient été cueillis trop tôt et qui étaient forcément fades. Pour lui, suivre les saisons était essentiel pour apprécier vraiment un produit frais. Une de mes sorties préférées était le déjeuner mensuel au restaurant Lucullus à Beyrouth. Quand mes notes scolaires laissaient à désirer, j'en étais privé et c'était une vraie punition ! J'avoue que ça me poussait à m'appliquer bien davantage à l'école.

« Je dois ma passion de la gastronomie également à mon ami, le docteur Edmond Fakhri, qui m'a aidé à affiner ma culture dans ce domaine et à aiguiser mon goût. La gastronomie est une des grandes passions dans ma vie. Je suis heureux de savourer un repas chez un grand chef, seul ou accompagné. Je me demande même si je ne préfère pas être seul, car j'accorde alors toute mon attention aux plats servis. C'est un exercice et un plaisir de découvrir une saveur insolite dans un mets, voire une fausse note parfois.

« Avoir la "bouche gastronome", c'est un peu comme avoir l'oreille musicale. Pour moi, un grand repas est une sorte de symphonie et, comme pour la musique, il faut s'exercer souvent ! J'ai une grande passion pour les profiteroles au chocolat surtout lorsque équilibre entre choux, vanille et chocolat est respecté ; c'est alors une très belle partition.

« Il y a quelques années, j'avais goûté et énormément apprécié un dessert à base de tomate préparé par un grand chef parisien. Curieux de sa composition, devant le refus du chef à m'en délivrer les secrets, j'ai demandé une deuxième portion et me suis concentré à chaque bouchée, notant une à une toutes les saveurs que je reconnaissais. J'ai pu ensuite le reconstituer pratiquement note à note.

« Lorsque je visite un pays, je m'intéresse autant à ses marchés alimentaires qu'à ses musées. La cuisine est une culture et le reflet d'une civilisation. En Inde par exemple, je goûte à une meilleure cuisine chez des particuliers que dans les restaurants et prends le temps de déambuler parmi les étals pour choisir mes épices, plutôt que de me les procurer aseptisées dans les boutiques pour touristes. »

Youssef, totalement sous le charme du souvenir, termine l'entretien, lyrique, citant Maupassant : « Le goût, mon cher, est un organe délicat, perfectible et respectable comme l'œil et l'oreille. Manquer de goût, c'est être privé d'une faculté exquise, celle de discerner les qualités des aliments ; c'est avoir la bouche bête en un mot, comme on peut avoir l'esprit bête. »

RECETTE

25

Les profiteroles au chocolat

de Youssef Chami

Ingrédients

Pour six personnes

Pour la pâte à choux

125 g de farine de blé

100 g de beurre

4 œufs

10 cl de lait

10 cl d'eau

1 cuillère à soupe de sucre en poudre

1 pincée de sel

Pour la sauce au chocolat

125 g de chocolat

10 cl de lait

25 g de beurre

Préparation

1 Porter à ébullition l'eau, le lait, le beurre et le sel.

2 Retirer du feu et ajouter d'un seul coup la farine, remuer énergiquement à la cuillère en bois jusqu'à obtenir une masse compacte qui se détache des bords de la casserole.

3 Remettre sur feu doux pour dessécher un peu la pâte en remuant, puis ajouter les œufs un à un. Remuer bien entre chaque œuf.

4 Déposer des petits tas de pâtes sur la plaque à pâtisserie beurrée à l'aide d'une poche à douille. Faire cuire 25 minutes au four à 180° (thermostat 6).

5 Laisser refroidir dans le four éteint.

PRÉPARATION DE LA SAUCE AU CHOCOLAT

1 Faire fondre le chocolat avec le lait au bain-marie. Hors du feu, ajouter le beurre doucement en remuant.

2 Réserver.

3 Garnir les choux refroidis de crème pâtissière ou de glace à la vanille, puis les disposer en pyramide dans un plat.

4 Napper de sauce au chocolat chaude et servir sans attendre !

Diane et Virginie
Mansour

Le temps des asperges

Diane Mansour est une femme de cœur et d'action. Après une douloureuse expérience vécue avec sa propre mère atteinte de la maladie d'Alzheimer et voyant le manque abyssal de structures organisées au Liban pour l'accueil des personnes souffrant de cette affection, elle fonde en 2004 l'Association libanaise de lutte contre cette maladie et la porte à bout de bras pendant plus de dix ans. Elle déploie une énergie remarquable, fournissant, d'une part, conseils et guidance aux familles des personnes touchées par la maladie et prodiguant, d'autre part, une formation au personnel les entourant. Lauréate de plusieurs prix d'entrepreunariat, elle milite également activement aux côtés d'experts scientifiques internationaux, levant des fonds pour essayer de trouver un traitement efficace à cette maladie. Tout cela avec un immense sourire et une bonne humeur permanente !

Nous nous sommes rencontrées lors de plusieurs colloques associatifs et puis dans d'autres, gastronomiques. Parce que Diane est avant tout gourmande de la vie et des choses de la table. À chacune de nos rencontres, notre double engagement social et gourmand nous fait rire et nous échangeons à la fois idées et recettes. Je lui expose mon projet au détour d'une conversation. Son émotion est tout de suite notable à l'évocation du souvenir de sa mère, elle qui ne se souvenait plus de rien... Mais pleine d'enthousiasme comme d'habitude, elle me rappelle le soir même et me raconte :

« Chaque année au printemps, la saison des asperges me ramène à la cuisine de ma mère Virginie et à mon enfance. Je suis originaire du village de Baïno dans le Akkar, région du Nord-Liban. L'asperge sauvage (*halyoun* en arabe) y pousse, dès le mois d'avril, en abondance et dans toutes les maisons du village elle est préparée de plus d'une dizaine de façons. Enfant, je trouvais autant de plaisir à en faire la cueillette qu'à la manger. Avec mon frère Victor et mes cousins, c'était à celui qui en ramènerait le plus. Nous rentrions à la maison, les genoux écorchés et les joues en feu, mais les bras chargés d'asperges. Notre joie proportionnelle à nos cris enthousiastes remplissait les sentiers du village et faisait résonner la montagne.

« Aujourd'hui, je ressens en faisant de longues marches la même excitation lorsque je trouve un bouquet d'asperges sauvages bien caché sous les feuillages des petits chemins. J'ai hâte d'initier mes petits-enfants à ce rituel gourmand ! »

RECETTE

26

L'omelette aux asperges sauvages

de Diane Mansour
et de sa mère Virginie

Ingrédients

Pour 8 personnes

12 œufs, bio de préférence

1 bouquet de *halyoun* (asperges sauvages)

1 gousse d'ail hachée

1 cuillère à soupe d'huile végétale neutre

Sel et poivre au goût

Préparation

1 Battre dans un grand saladier les œufs entiers avec une pincée de sel.

2 Ajouter le bouquet d'asperges lavées et tronçonnées.

3 Ajouter la gousse d'ail, le reste du sel et de poivre et verser dans une poêle bien chaude avec la cuillère d'huile végétale.

4 Déguster !

Nada Chaoul
et Marcelle Nassar

Et pourvu que ça pétille

Nada Chaoul, brillante juriste et journaliste à l'humour décapant, est avant tout un inlassable troubadour des temps modernes. Elle brocarde les travers du quotidien de la société libanaise avec une gouaille généreuse à travers des petits billets relayés par « L'Orient littéraire » et nous offre tous les mois de beaux fous rires. Lorsque l'on a le privilège de l'écouter en « live », le geste rejoignant le verbe, elle atteint alors des sommets. Véritable antispleen ambulant !

Lui demander de raconter son plat souvenir familial était déjà une épopée au téléphone, l'écouter raconter le gâteau régressif de son enfance un délire !

« L'histoire de ce gâteau se perd dans les méandres lointains de notre histoire familiale.

« En effet, ma mère avait sept cousines. Oui, sept filles que son oncle paternel avait inexorablement engendrées, au rythme désolant d'une fille par an. Ce faisant, le pauvre homme s'était attiré les foudres de ma grand-mère qui le considérait comme un raté. D'autant plus que peu ambitieux et de nature pacifique, il s'endormait tout le temps, ce qui n'arrangeait pas les finances de sa nombreuse famille. Comble de malchance, les sept filles étaient fort peu dotées par la nature et ne trouvaient pas à se marier. Grincheuses, elles passaient leur temps à se lamenter et à se plaindre de leur sort.

« Énergique et déterminée, ma mère les prit sous son aile, enseignant à l'une la sténodactylo, à l'autre les soins infirmiers, afin qu'elles puissent trouver à s'employer, le prince charmant étant visiblement peu pressé de taper à leur porte.

« C'est ainsi que l'une d'entre elles, Rose, peut-être la plus douée et la plus "dégourdie" de ses sœurs, comme disait ma mère, se prit de passion pour la pâtisserie et se mit à confectionner des gâteaux tout simples, mais absolument délicieux. De toutes ses créations, seul survécut le gâteau que nous appelons en famille le gâteau rose. Est-ce en souvenir de cette cousine aujourd'hui disparue ou à cause de la couleur rosée de cette pâtisserie ? Nul ne le sait.

« Tout ce que l'on sait, c'est que c'est le gâteau par excellence des goûters d'anniversaire simples d'autrefois, dans lequel on plantait des bougies au nombre de nos courtes années de vie, sous les vivats de quelques bambins, tous cousins ou voisins. C'est aussi — et c'est toujours — l'odeur réconfortante de la maison familiale quand on arrive affamé et que le gâteau sort à peine du four. C'est, en fait, le gâteau de notre enfance que l'on a tous transmis à notre tour en le confectionnant à nos enfants.

« Malgré mes tentatives de rajouts ou d'améliorations de cette pâtisserie toutes ratées de l'avis général de la famille, en voici la recette. »

RECETTE
27

Recette du gâteau rose

de Nada et Marcelle

Ingrédients

6 œufs

3 verres de farine de blé

3 verres de sucre

¾ de verre de beurre

1 verre de *laban* (yaourt libanais)

une pincée de sel

3 cuillères à café de levure chimique

1 pincée de vanille

Préparation

1 Dans un batteur électrique, battre les œufs, puis ajouter le yaourt.

2 Incorporer ensuite au fur et à mesure le beurre et le sucre.

3 Ajouter la farine mélangée à la levure chimique, le sel et la vanille.

4 Verser dans un moule à gâteau rond.

5 Préchauffer le four et enfourner le gâteau à feu moyen pendant une demi-heure.

6 À déguster tiède ou froid avec du « Mirinda » (boisson gazeuse perfusée à l'orange garantie cent pour cent chimique), comme chez les Nassar !

Issa et Maria Goraieb

Un mole sinon rien

J'ai fait la connaissance d'Issa Goraieb à travers ses mots. Des mots toujours bien choisis coiffant des éditoriaux et des textes magnifiques. J'étais conquise déjà par un style bien avant de rencontrer l'homme. Ce géant sur papier est d'abord intimidant avec sa belle stature et sa voix de ténor. Son œil tendre où des restes d'enfance se promènent encore malicieusement vous touche à tous les coups.

Monument du journalisme libanais francophone depuis plus de cinquante et un ans, Issa Goraieb est d'abord un lecteur passionné. Rédacteur en chef du quotidien francophone *L'Orient-Le Jour* pendant plus de trente ans, il a maintenu cette institution contre vents et marées et au risque de sa vie, aux pires moments de la guerre civile libanaise. Lire ses éditos est un régal, vu sa façon de manipuler les mots avec respect et véhémence, exactement comme le ferait un grand chef avec des produits de très haute qualité. Il s'y prend avec délicatesse pour leur faire sortir le meilleur d'eux-mêmes.

D'une culture immense, c'est aussi un fin gourmet. Nous avons partagé plusieurs banquets socialement corrects, mais surtout de sympathiques repas improvisés dans sa maison familiale de Deir el-Qamar. En hôte toujours très attentionné, il maitrise parfaitement les accords mets et alcools, recherche délicatement les rappels de saveurs et finit de vous enchanter lorsqu'il accorde son savoir-faire musical à son savoir recevoir, maniant son saxo aussi bien que son stylo. Lui demander d'évoquer entre *rumbas* et *téquilas* ses souvenirs d'enfance était pour moi une évidence. Et pour lui parler de mon projet, je lui explique que la cuisine est pour moi une langue et que les plats en sont les mots et nous voilà lancés sur les chemins de son enfance.

« Je suis né au Mexique où mon père avait émigré au début du siècle dernier. Ma mère Maria était mexicaine et mes premiers souvenirs gourmands sont liés à sa cuisine piquante colorée et savoureuse. En arrivant à l'âge de cinq ans au Liban, j'en ai découvert plus largement les goûts et rien pour moi aujourd'hui ne supplante un bon mezzé, un *kebbeh nayeh* (*kebbeh* cru) et un bon verre d'*arak*.

« De la cuisine de ma mère, je retiens surtout le mole, plat d'origine aztèque qu'elle confectionnait chaque année à la fois pour fêter Noël et mon anniversaire. Mêlant cacao, haricots rouges et condiments, le mole raconte le Mexique à chaque bouchée. Il est devenu pour nous à la maison un véritable rituel familial. Youmna, mon épouse, le reproduit chaque année à merveille, grâce à la recette de ma mère et pour plus de quarante personnes. En transmettre le goût à mes enfants et mes petits-enfants aujourd'hui, c'est aussi leur raconter un peu mon histoire. »

RECETTE

28

Recette du mole Negro con pollo (poulet sauce piquante au chocolat)

de Maria et Issa Goraieb

Ingrédients

6 escalopes de poulet

1/2 litre de bouillon de volaille

3 cuillères à soupe d'huile d'olive

1 oignon blanc moyen émincé

1 poivron rouge

30 g de cacahuètes

30 g de poudre d'amandes

1 cuillère à café de cannelle, 1 de cumin, 1 d'origan, 1 de piment de Cayenne

3 cuillères à soupe de cacao

3 cuillères à café de sel fin

1 cuillère à café de poivre doux

1 gousse d'ail

1 cuillère à café de graines de sésame blanc torréfiées

Préparation

1   Faire revenir les escalopes de poulet dans une poêle avec un petit peu d'huile végétale.

2   Réserver.

3   Pour la sauce, couper le poivron en deux et retirer les pépins.

4   Le mettre à cuire dans un plat avec la gousse d'ail et une cuillère à soupe d'huile d'olive, à four doux (180 degrés) pendant 20 minutes.

5   Une fois le poivron cuit, retirer délicatement la peau et le mettre dans un mixer avec les cacahuètes, la poudre d'amandes, les épices et le cacao.

6   Dans une sauteuse, mettre les 2 cuillères à soupe d'huile d'olive avec l'oignon émincé.

7   Rajouter le mélange mixé puis le demi-litre de bouillon de volaille, le sel et le poivre et laisser cuire doucement jusqu'à ce que le volume de la sauce réduise de moitié.

8   Rajouter les escalopes de poulet et bien les couvrir de sauce.

9   Laisser mijoter sur le feu encore quelques minutes.

10 Éteindre et saupoudrer de sésame torréfié.

11 Servir avec du riz ou quelques tortillas bien dorées.

Randa et Rosette
Tabbah

Lentilles dix-huit carats

Digne héritière d'une famille d'orfèvres, Randa Tabbah s'est démarquée dès la fin de sa formation de gemmologie par un style bien à elle. Ses créations sont un mélange de raffinement et de modernité à l'élégance tranquille, jamais ostentatoire.

Nous nous sommes rencontrées lors d'un voyage en Inde, elle sur la piste des pierres précieuses de ce pays, moi sur celle de ses currys. De tables en menus, nous nous sommes mieux connues. La voir préparer un mémorable *kebbeh nayeh* qu'elle malaxait à pleines mains dans sa cuisine reste pour moi un souvenir inoubliable.

Pour parler de la maison de son enfance et de son plat souvenir de famille, elle hésita entre plusieurs plats et fit plusieurs tours de table auprès de son mari Nabil, une crème d'homme, et ses filles Thalie et Sybille. Même son petit-fils Sari a eu droit à la question et donna son avis. Le plébiscite familial confirmé, elle me livra une délicieuse pépite.

« Ma mère faisait une excellente cuisine traditionnelle familiale beyrouthine orthodoxe. Elle avait plusieurs plats vedettes. Mon souvenir gourmand est lié au vendredi, parce qu'il y avait invariablement des lentilles au menu et que je ne les aimais pas du tout, enfant, alors que je les savourais, adolescente. Ma mère variait les recettes pour nous les faire apprécier : *moudardara*, *moujaddara*, *adass bi selek*… (en ragoûts, en soupes, accompagnées de blettes…), rajoutant oignons, épices et condiments. Mon mari Nabil en appréciait beaucoup les variantes et après mon mariage, je les mettais souvent au menu.

« Nous vivions à l'époque à Paris, comme beaucoup de familles fuyant la guerre civile libanaise et il me tenait alors encore plus à cœur de retrouver mes saveurs d'enfance à table. La naissance de nos filles Thalie et Sybille devait changer la donne. Si le reste du répertoire culinaire traditionnel libanais trouvait grâce à leurs yeux, les lentilles étaient invariablement repoussées. J'observais leur manège et tentais de trouver une solution. Je remarquais finalement que c'était la couleur marron du plat qui les rebutait…

« Elles détournaient immédiatement la tête à sa vue. Je décidai alors d'adapter la recette de départ de la *moujaddara* en remplaçant les lentilles brunes par des lentilles corail. À la maison, nous utilisions la lentille corail pour la soupe mais pas pour la *moujaddara*. Je rectifiai aussi un peu l'assaisonnement et décorai le plat de présentation avec des tomates ciselées. Et là, elles l'adoptèrent immédiatement, sans broncher, pensant avoir affaire à un nouveau mets et elles se mirent à me le réclamer régulièrement.

« Sybille le reproduit aujourd'hui pour son fils Sari, gardant le même petit twist que j'ai rajouté à la recette familiale et le met au menu pareil, tous les vendredis ! »

L'entretien se termina ce jour-là autour d'un joli plat où des tomates taillées comme des diamants couronnaient un joli plat de lentilles roses dix-huit carats, délicatement décoré de tomates bonheur.

Les lentilles roses
de Randa Tabbah

Ingrédients

Pour 8 personnes

500 g de lentilles corail

1 litre et demi d'eau

2 gros oignons rouges émincés

1 cuillère à soupe de cumin moulu

2 cuillères à soupe d'huile végétale

Tomates cerises pour la décoration

Préparation

1 Faire bouillir les lentilles dans un litre d'eau après les avoir bien lavées et essorées pendant dix minutes.

2 Dès la fin de la cuisson, jeter l'eau et garder les lentilles.

3 Dans une petite casserole à part, faire revenir un oignon émincé dans l'huile végétale.

4 Quand il commence à blondir, le saupoudrer de cumin moulu, couvrir et laisser infuser.

5 Sur les lentilles cuites al dente, rajouter les oignons parfumés de cumin, le demi-litre d'eau et le sel.

6 Finir la cuisson à feu doux.

7 Servir tiède ou froid, en décorant le plat de tomates cerises et d'oignons frits.

Une salade de choux bien citronnée est recommandée en accompagnement.

Laura Lahoud
et Myrna Boustany

Rythmes & rose

Chez elle tout est élégance et finesse. Son sourire, son phrasé et ses tenues recherchées avec soin, mais jamais ostentatoires. À la tête de plusieurs sociétés qu'elle a dû reprendre au pied levé au lendemain du décès de son père Émile en 1963, Myrna Boustany a relevé le défi et d'un gant de fer dans une main de velours, rempli avec succès sa mission. Première femme à avoir intégré le Parlement libanais, cette prouesse n'est qu'une parmi les nombreuses réalisations de cette belle figure culturelle libanaise. Sa passion des arts et de la musique lui a fait entreprendre depuis 1994 la fondation du Festival du Bustan, phare culturel régional devenu référence internationale en matière de musique. Elle y mêle les sons de l'Orient et de l'Occident pour vingt-deux soirées de bonheur où l'émotion est chaque fois au rendez-vous. Un vrai cadeau pour le Liban.

Laura el-Khazen Lahoud, sa fille, reprend aujourd'hui le flambeau, apportant sa touche tout aussi élégante, souriante et aérienne. Leur complicité est totale. Perceptible dans les moindres petits détails y compris ceux de la table, Laura raconte ses souvenirs d'enfance gourmands, entre deux voyages et avec beaucoup d'humour et de tendresse à l'évocation de ses deux grands-mères.

« Lorsque j'étais enfant, la cuisine était à l'honneur chez nous, surtout du côté de ma famille paternelle. Ma grand-mère Asma el-Khazen était une gastronome avertie et sa table réputée dans tout le pays. Perfectionniste, elle veillait elle-même à la qualité des produits et des recettes et son fait maison était remarquable. Elle nous envoyait des desserts extraordinaires à la maison. J'aimais tellement son gâteau au chocolat que vers l'âge de dix ans, j'en recopiais la recette sur des petits papiers colorés que je revendais à 25 piastres à mes copines d'école ! Il y avait aussi sa glace au chocolat, un autre bonheur gourmand où un maître glacier arrivait chez elle avec son matériel et battait à la main la glace pendant des heures dans un moule en bois posé sur un lit de glaçons pilés. Nous étions totalement fascinés, mon frère et moi, par sa gestuelle. Nous attendions patiemment que le dessert soit prêt. C'est jusqu'aujourd'hui mon dessert préféré.

« De ma grand-mère Laura, j'ai le souvenir de goûters où deux gâteaux étaient immanquablement la vedette : elle appelait le " blond " celui parfumé à la noix de coco et le " brun " celui au chocolat. Sans reliefs particuliers, je n'en garde en souvenir que la petite phrase taquine de mon grand-père Émile Boustany qui lui disait : « Laura, tu as dû certainement sauter une page de la recette… »

« Ma mère entretenait elle aussi des rapports épisodiques avec la cuisine, ayant surtout le goût des choses simples : une *kaakeh* (galette traditionnelle libanaise) ou une *man'oucheh* (pizza au *zaatar*) continuent à faire ses délices aujourd'hui. La seule chose qu'elle aimait organiser lorsque j'étais enfant, c'étaient mes goûters d'anniversaire. Ce jour-là, tout, absolument tout, devait être rose ! La nappe, la décoration de la table, les petites confiseries et bien sûr, mon gâteau d'anniversaire.

« Ce sont des doux souvenirs qui m'ont donné le goût des repas bien organisés et bien faits. Pour le Festival du Bustan, je veille avec elle à toujours proposer, après les spectacles, un menu soigné. »

La table a toujours complété avec bonheur la musique. N'est-ce pas sous le charme de la cantatrice Nellie Melba, venue chanter le *Lohengrin* de Richard Wagner à Covent Garden, qu'Auguste Escoffier, alors chef du Savoy de Londres, a inventé un dessert qui porte le nom de la soprano ?

Recette de la glace au chocolat

d'Asma el-Khazen, grand-mère de Laura Lahoud

Ingrédients

Pour 1 litre de crème glacée

150 g de chocolat noir

5 jaunes d'œufs

60 g de sucre

30 cl de lait

20 cl de crème liquide

Préparation

1 Fouetter les jaunes d'œufs avec le sucre.

2 Faire chauffer le lait et la crème en évitant l'ébullition.

3 Ajouter le chocolat en morceaux et le laisser fondre en remuant.

4 Dès qu'il devient homogène, verser le mélange chocolaté sur les jaunes.

5 Remuer.

6 Laisser refroidir et turbiner.

Raymond Audi

Saïda au cœur

Immense figure du monde de la finance au Liban, plusieurs fois ministre, Raymond Audi est avant tout un esthète et un homme de goût. Ancien président de l'Association des banques libanaises, ce visionnaire a commencé par transformer l'entreprise bancaire familiale fondée par son père Wadih. Avec ses frères Georges et Jean, il en a fait une institution d'envergure internationale. Infatigable mécène de l'art sous toutes ses formes, doté d'un goût très sûr, il a ensuite œuvré à faire entrer l'art dans les salles de réunions et transformé le siège central à Beyrouth en véritable musée où la « tour dentellière » de Dubuffet vous accueille à l'entrée et où les peintures d'Amin el-Bacha et de Raoul Dufy vous accompagnent de salle en salle.

Son souci des autres et son implication sociale à tous les niveaux l'ont fait œuvrer sans relâche pour une égalité de chances, offrant aux jeunes générations de nouveaux horizons, multipliant bourses et passerelles culturelles. Cet homme du Beau est également un gourmet éclairé et ses souvenirs gourmands indissociables de Saïda, ville côtière du Liban-Sud où il est né et où sa maison familiale est devenue, encore grâce à son initiative, un musée du savon.

Mon projet l'intrigue d'abord, puis le fait sourire. L'évocation de sa mère et celle de son enfance lui remplissent les yeux d'émotion.

« Mes souvenirs d'enfance gourmands sont intimement liés aux goûts et aux senteurs de la maison de Saïda. Nous étions réveillés par l'odeur du pain chaud livré de bon matin à travers la porte arrière de la maison qui donne directement sur le vieux souk de la ville. Entourée de citronniers et d'orangers, la cour intérieure mitoyenne de nos chambres à coucher était en permanence remplie d'effluves citronnées. Mes souvenirs gourmands sont essentiellement liés aux repas du dimanche. Ma mère Noëllie confectionnait à merveille deux plats : les feuilles de vigne farcies et le *kebbeh labanieh*. J'y pense souvent à chaque fois que j'en mange et retrouve quelquefois avec ravissement, par la grâce d'un cuisinier plus doué que les autres, le goût d'autrefois.

« Enfant, je ne m'intéressais pas beaucoup aux desserts. Peut-être parce qu'ils n'avaient pas la vedette, ni les jours ordinaires ni même pour nos anniversaires. Nous n'avions pas l'habitude de les célébrer. Quelquefois pour Noël, qui coïncidait également avec l'anniversaire de ma mère, nous avions quelques pâtisseries traditionnelles de la ville de Saïda, comme les *saniouras*, la *nammourah*, le *sfouf* et les *ghoraybeh* qui sont jusqu'aujourd'hui mes petites gourmandises préférées.

« Quelquefois aussi des confitures faites maison en guise de dessert ou de la *haleweh* de chez Bsat, dont la boutique, toujours située à quelques ruelles de la maison, est, pour moi, la meilleure du monde. Il m'arrive aujourd'hui en rentrant à la maison de Saïda de m'échapper un moment par l'arrière-porte dont l'accès nous était interdit et de remonter le fil des souvenirs à travers les ruelles de la vieille ville. »

Recette des *ghoraybeh* ou petits gâteaux de Saïda

Ingrédients

Pour 1 kg de petits gâteaux

500 g de sucre glace

1 kg de farine de blé très fine

500 g de beurre clarifié

1 sachet de levure chimique

1 sachet de sucre vanillé

30 g de pistaches écalées, non salées

Préparation

1   Mélanger le tout, sucre glace, farine, levure et sucre vanillé.

2   Rajouter le beurre clarifié, mélanger.

3   Découper des petits morceaux de pâtes fins et longs. Les façonner en petits ronds et les disposer sur une plaque de cuisson en gardant un espace entre chaque morceau. Décorer chaque petit gateau avec une pistache.

4   Mettre au four thermostat 5 et ne pas les laisser trop cuire (20 minutes maximum).

Les Ghoraybeh ou petits gâteaux doivent rester blancs et croquants.

Mona Hraoui

Première dame, trois étoiles

Mona Hraoui séduit d'abord par son naturel et son franc-parler. L'épouse d'Élias Hraoui, président de la République libanaise de 1991 à 1997, est avant tout Mona. Au rôle de première dame, elle a imprimé un style unique, fait d'un mélange extraordinaire d'élégance et de générosité de cœur. Simple et dynamique, tenace et déterminée, elle est à l'origine du Chronic Care Center, une des plus belles entreprises en faveur de l'enfance au Liban, qui traite depuis plus de vingt ans des centaines d'enfants atteints de thalassémie et de maladies chroniques. Le Musée national de Beyrouth est sorti de son coma d'après-guerre grâce, entre autres, à son travail acharné. Souriante, affable, fidèle dans ses amitiés et ses engagements, Mona Hraoui est connue pour sa table qui est, pour ne rien gâcher, l'une des meilleures de Beyrouth. Son formidable sens de l'hospitalité rehausse avec grâce tous les mets qu'elle offre à ses invités.

Mon projet lui met des étincelles joyeuses dans les yeux et elle parle avec enthousiasme de ses souvenirs gourmands et du plat de son enfance :

« Je suis née à Baalbeck de père palestinien et de mère libanaise. Aînée de trois filles, j'ai vécu mon enfance à Bethléhem.

« À l'âge de neuf ans, le décès subit de mon père a été un choc terrible. J'avais une très grande complicité avec lui. Alors que ma mère avait décidé pour vivre son deuil de rentrer au Liban, j'ai préféré pour ma part continuer ma scolarité en restant en Palestine chez ma tante paternelle. Je l'ai rejointe ensuite à l'âge de dix-sept ans. La cuisine à la maison avait une place importante, réalisée toujours avec des ingrédients de premier choix. Des plats de mon enfance, celui qui me rattache à ma maison, c'est la *makloubeh* d'aubergines que mon père appréciait beaucoup, que ma mère mettait souvent au menu et que j'ai reproduite avec plaisir pour mes enfants.

« Avec Élias, notre complicité était totale dès notre première rencontre et passait aussi par la table. Originaire de Zahlé, Élias était un homme bon et un travailleur acharné avec des goûts simples et authentiques comme on les aime à Zahlé. Un bon mezzé et surtout un bon *kebbeh nayeh* étaient pour lui un bonheur. Ce *kebbeh* cru, confectionné dans ma cuisine et pour lequel je choisis les meilleurs ingrédients, est toujours présent sur mes tables d'invitations. Une occasion de plus pour me rappeler Élias avec tendresse et me souvenir de sa gourmandise... »

RECETTE

32

La *makloubeh* d'aubergines

de Mona Hraoui

Ingrédients

500 g de viande hachée

2 grosses aubergines

3 oignons

250 g de riz Basmati

2,5 tasses de bouillon de viande ou de poulet, sinon de l'eau

50 g d'amandes émondées entières

Sel

3 cuillères à café de poivre doux

5 graines de cardamome (que j'écrase avec un couteau pour libérer les graines)

1 bâtonnet de cannelle

3 clous de girofle

Poivre noir en graines

Préparation

1   Couper les aubergines en rondelles (ou en tranches de 1 cm d'épaisseur)

2   Les saler pour qu'elles dégorgent l'eau.

3   Pendant ce temps, rincer le riz.

4   Le tremper dans de l'eau chaude, ajouter quelques graines de cardamome pendant 15 à 20 minutes (le temps de frire les aubergines et cuire la viande hachée).

5   Faire frire en premier les rondelles d'aubergines.

6   Faire la même chose avec les rondelles d'oignons, puis réserver chaque légume séparément sur du papier absorbant.

7   Dans un faitout, faire revenir la viande hachée et les oignons dans un peu d'huile.

8   Assaisonner de poivre et de sel, ajouter le bâton de cannelle, puis arroser de bouillon de poulet et laisser cuire.

9   Conserver de la sauce pour la cuisson du riz.

10   Dans un moule allant au four, disposer une couche d'aubergines en les faisant chevaucher, puis les rondelles de pommes de terre, toujours en faisant chevaucher.

11   Ajouter la viande hachée, tasser un peu le riz égoutté, puis le bouillon restant de la viande.

12   Couvrir de papier aluminium et passer le plat au four préchauffé pour 20 minutes environ, jusqu'à absorption complète du bouillon et que le riz soit bien cuit.

13   Laisser reposer une dizaine de minutes avant de démouler.

14   Décorer la surface avec des amandes grillées.

Salim Eddé

Cuisine, maths et Mim

« Impressionnant ! » Ce mot pourrait à lui seul définir cet amoureux des chiffres, informaticien surdoué, chimiste de formation, passionné de minéraux et très fin gourmet ! Le père du musée Mim, mécène sans frontières, est surtout pour moi un complice de bienfaisance et de gourmandise depuis des années. Côté cuisine, suggérant une recette, goûtant, réajustant une association de saveurs, toujours encourageant, sans oublier bien sûr d'être taquin, il est pour moi une source d'inspiration, mais aussi un testeur permanent, au goût très sûr. Toujours avec une petite pointe d'humour pince-sans-rire, cet extraordinaire passeur de savoir, modèle de modestie et de simplicité, s'arrange pour engloutir trois douzaines de *maamouls* en se préoccupant vaguement, mû par une poussée de coquetterie soudaine, de son tour de taille.

Pour ce qui est de la cuisine, il est vrai qu'il est tombé dedans tout petit, avec un père d'une gourmandise légendaire et une mère plus discrète, mais au goût très sûr. La table des Eddé est toujours un moment de plaisir gourmand et de mets délicieux, où l'on sent à chaque bouchée une longue histoire de transmission culinaire. Encadré de ces traditions familiales, Salim a su toutefois se démarquer par une curiosité et une mémoire phénoménales, bien à lui, qui lui permettent de façon simple et totalement non ostentatoire de rajouter tous les jours du savoir au savoir, goûtant, curieux, de tout à toutes les cuisines.

De ce patrimoine culinaire familial, une personne prend le devant de la scène et c'est avec beaucoup d'affection qu'il parle de sa grand-mère maternelle Isabelle, cette *téta* exceptionnelle qui a bercé son enfance et son adolescence avec sa cuisine savoureuse et simple. D'elle, il doit tenir non seulement son éclectisme discret, mais également son intransigeance vis-à-vis des additifs et des goûts artificiels qu'il fuit comme la peste.

Nous bavardons autour d'un café au musée Mim. Salim évoque ses souvenirs et arrive évidemment encore une fois à m'apprendre de nouvelles choses sur les minéraux et les petits plats. Dans la salle du trésor, émeraudes, diamants et topazes brillent d'une élégance tranquille, captivés eux aussi par son récit.

« Difficile de me limiter à un seul plat, j'en ai tellement, déclare Salim. Mes souvenirs gourmands sont liés surtout aux étés de mon enfance que nous passions à Aley, montagne proche de Beyrouth. Ils sont également indissociables de ma grand-mère maternelle Isabelle qui reste à jamais pour moi la référence culinaire absolue de la famille. L'été, elle résidait à deux blocs d'immeubles de chez nous et sa cuisine était toujours en ébullition. Elle faisait toute sa *mouneh* elle-même et je la revois encore remuant avec amour une confiture d'abricots, dosant un sirop de mûres, ajustant l'acidité d'un concentré de tomates. Nous la rendions dingue, mes frères et moi, en courant sur le toit de sa maison pour aller goûter à même les bocaux et les jattes étalés au soleil les fruits de sa récolte. Elle avait un très large répertoire de plats libanais, exquis, en particulier de recettes de *kebbeh*. Perfectionniste, elle cherchait sans cesse à les améliorer.

« Côté goût, je suis plus sel que sucre et je l'étais déjà, enfant. Mes madeleines de Proust sont nombreuses : lentilles sous toutes leurs formes, farcis de légumes — surtout les aubergines —, la poudre de *kechek* (mélange typiquement libanais de *burghol* et de yaourt séchés au soleil et cuisinés en soupe épaisse) dont je raffolais et qui a failli me causer bien des ennuis à mon arrivée aux États-Unis pour ma formation universitaire. Les douaniers médusés devant les sacs de poudre blanche de *kechek* pensaient avoir affaire à un trafiquant de drogue et me regardaient d'un air suspicieux. Ils avaient fait appel à l'équipe chargée de la lutte contre les stupéfiants et celle-ci était arrivée en renfort avec une meute de chiens qui reniflaient les sacs de *kechek* planqués dans mes bagages, pour essayer de déceler des substances illicites. J'avais beau manger des poignées entières du délicieux mélange devant eux pour les gagner à ma cause, peine perdue. Je suis resté plusieurs heures en observation, avant de pouvoir sortir de l'aéroport. Les États-Unis ont eu également le privilège de mes premières prouesses culinaires. Lorsque la nostalgie au ventre j'avais essayé de fabriquer du *laban* (yaourt) maison, la casserole en aluminium s'était trouée à cause de la fermentation et j'ai dû appeler ma grand-mère au téléphone pour pouvoir terminer décemment la recette.

« Merveilleuse *téta* Isabelle ! Parmi tous ces délices choisir est difficile, mais je crois que je vais vous donner la recette du *kebbeh arnabieh*. Lorsqu'il y en a au menu, je ne mange rien d'autre. Il faut dire que je peux m'en resservir jusqu'à sept fois ! »

Cette belle armure gourmande offerte par sa grand-mère, reprise aujourd'hui par sa mère Yolla, a certainement contribué à construire l'extraordinaire Salim d'aujourd'hui dont la part d'enfance est toujours si largement présente. Voyant l'émotion s'installer, je lui propose, pour conclure notre entretien, de me donner sa recette. Il me la récite au gramme près et, évidemment à cent à l'heure, n'omettant aucune astuce, soulignant tous les détails pour finaliser la perfection du plat.

RECETTE

33

Recette du kebbeh arnabieh

façon Salim Eddé

Ingrédients

Pour 10 personnes

1 kg de jarrets de mouton avec os

400 g de *thineh* ou purée de sésame

450 g de pois chiches nettoyés et trempés la veille

400 g d'oignons hachés et frits

100 g d'oignons grelots

12 g de sel

125 g de beurre clarifié

300 g d'un mélange de jus d'orange amère

50 g de jus de mandarine

Au choix, 30 g de jus de pamplemousse ou de citron vert

Pour le *kebbeh*

600 g de viande sans graisse

125 g d'oignons hachés

Poivre doux, sel fin au goût

300 g de blé concassé très fin

Préparation

1   Préparer d'abord la pâte à *kebbeh* en pétrissant longtemps la viande avec le sel, le poivre et les oignons, ainsi que le blé concassé soigneusement rincé à l'eau froide.

2   Lorsque le mélange est bien élastique, commencer à façonner les boulettes en creusant avec le doigt des boules ovales aux parois très fines.

3   Laisser reposer au frais avant de cuire.

4   Bouillir la viande et les pois chiches pendant environ une heure et demie.

5   Faire revenir les oignons dans une poêle dans un peu d'huile de cuisson neutre (tournesol) et les rajouter au mélange viande et pois chiches.

6   Rajouter à la purée de sésame le mélange des jus d'agrumes et porter sur le feu.

7   Remuer délicatement de temps en temps afin que la sauce soit bien onctueuse.

8   Ajouter alors les boulettes de *kebbeh* et remuer encore.

9   Ajouter au mélange la viande et les pois chiches, et laisser frémir le mélange à feu doux jusqu'à ce que l'huile de sésame surnage.

10   Servir avec un riz blanc pilaf.

Lina Abyad, Samia
et Kawkaba Ammache

La procession des retrouvailles

Notre première rencontre ressemblait à un coup de foudre. Lina est un personnage hors du commun, avec un regard unique sur les gens et la vie. Metteur en scène engagée et lumineuse, elle s'attaque avec brio aux sujets difficiles de notre société (maltraitance, femmes battues, enfance exploitée), arrive à nous y faire réfléchir et les propulse sur scène avec intelligence et grâce.

Ma passion pour la gastronomie commence par la fasciner, puis lui suggère illico mille scénarios : me faire cuisiner au théâtre en racontant les mets, inviter les spectateurs à partager un repas sur scène…, me regardant avec un petit sourire et de louables arrière-pensées. Épouvantée par la perspective, j'expliquais à notre Almodovar en jupon que la table était pour moi un théâtre permanent, où j'essayais de mettre en scène l'éphémère pour tenter de le rendre inoubliable. Que je choisissais thèmes et décors de dîners, comme un festival de *kebbeh* pour la fête de l'Indépendance ou un dîner entièrement vert pour célébrer le printemps…

De conversations en souvenirs, j'entrepris, à mon tour, de la mettre en piste et lui soumis mon projet. Elle me planta le décor de son enfance en quelques phrases. Quant à la cuisine ce fut une tout autre histoire. Lina raconte :

« Nous mangions régulièrement de la *moghrabieh* à la maison, mais celle dont je me souviens c'est celle de ma grand-mère, servie les jours de fête. Dans ma mémoire, ce plat est toujours associé aux grandes réunions de famille, aux nouveaux habits, aux rires, aux cadeaux, aux après-midi paresseux, le temps de digérer et de passer ensuite aux fruits et nombreux desserts. La table chez nous était toujours pleine de mille bonnes choses mais tout le monde attendait que la *moghrabieh* soit servie. Le brouhaha dans la cuisine devenait un peu plus intense juste avant l'apparition de ma grand-mère dans l'embrasure de la porte de la salle à manger. Il y avait quelque chose de magique à ce moment-là. Ma grand-mère avait un large sourire généreux, elle avait l'air d'une abeille reine ! Elle marchait triomphante, ses filles — mes tantes — derrière elle. Malgré son âge, elle tenait à porter elle-même l'énorme plat en argent consacré spécialement à ce mets. C'est alors que le déjeuner commençait.

« Plus tard, en vieillissant, elle ne pouvait plus porter l'énorme plat. Elle se contentait d'ouvrir la marche devant ma mère ou une de mes tantes qui avait la tâche de poser le plat toujours au centre de la table. Le privilège de porter le plat de *moghrabieh* n'était jamais donné à un domestique de la maison. Plus tard encore, quand la guerre civile a disséminé la famille, il n'était pas question de ne pas revenir au pays pour les fêtes. La *moghrabieh* était là pour les grandes retrouvailles. Et l'on se fabriquait une paix à trois sous, le temps d'un repas.

« Quand ma grand-mère est partie, c'est ma mère qui a pris la relève. Aujourd'hui encore, c'est la même effervescence avant l'apparition de ma mère triomphante avec le plat de *moghrabieh*. Puis, avec le temps, c'est ma sœur qui reprit la relève d'apparaître avec le plat en argent pour le déposer au centre de la table. C'est un moment toujours particulier où joie, nostalgie et un peu de tristesse sont mêlées, parce que l'on ne peut s'empêcher de penser aux absents, qui ne sont plus autour de la table.

« Je ne cuisine pas. Une fois ma mère partie, c'est probablement ma sœur qui prendrait la relève de préparer la *moghrabieh* des jours de fête. Et puis ma sœur vieillissant, je sais dès à présent que c'est ma fille Dounia Alexandra ou ma nièce Leen qui prendront la relève. Et quand elles nous inviteront à leur table pour les fêtes, autour d'une *moghrabieh*, viendront se joindre à nous leurs arrière-grands-pères et mères qu'elles n'ont pas connus, leurs grands-parents, des grands-oncles et tantes un peu oubliés et, le temps d'un repas, la famille sera au grand complet. »

RECETTE
34

La moghrabieh
de L'ina Abyad

Ingrédients

Pour 8 personnes

1 poulet de 1,5 kg

200 g de *moghrabieh* en graines sèches ou fraîches

300 g de pois chiches trempés la veille

200 g de petits oignons blancs, à défaut des échalotes

Sel, poivre doux, quelques feuilles de laurier et graines de cardamome

2 belles cuillères à soupe de carvi blond moulu

Une cuillère à soupe de beurre clarifié

Préparation

1 Éplucher les petits oignons ou les échalotes et les garder entiers.

2 Faire revenir le poulet, sel, poivre, carvi et échalotes dans le beurre clarifié pendant 5 minutes jusqu'à coloration.

3 Couvrir d'eau et ajouter 3 feuilles de laurier et 5 graines de cardamome.

4 Ajouter les pois chiches et laisser cuire 20 minutes.

5 Les échalotes cuisent beaucoup plus rapidement que le poulet, donc il faudra penser à les retirer au cours de la cuisson et les mettre de côté. De même pour les pois chiches.

6 Faire revenir les graines de la *moghrabieh* dans une poêle chauffée, jusqu'à ce qu'elles se colorent légèrement. Verser ensuite petit à petit un peu de bouillon de poulet.

7 Dès que le bouillon est absorbé, en remettre un petit peu et ainsi de suite jusqu'à cuisson complète des graines.

8 Mélanger avec les pois chiches et les échalotes et garder de côté.

9 Découper le poulet en morceaux.

10 Verser le mélange *moghrabieh*, échalotes et pois chiches dans un grand plat et recouvrir de morceaux de poulet.

11 Saupoudrer de carvi moulu et présenter, la sauce de poulet restante à côté.

Chibli Mallat

Sculpture à Souk el-Gharb

Si tout le monde connaît l'avocat, farouche défenseur d'une démocratie éclairée, candidat à la présidence du pays, le spécialiste international en droit islamique, l'auteur, le penseur, l'orateur et l'amoureux des belles-lettres, ce projet est l'occasion de vous présenter un homme simple, chaleureux et gourmand, qui comprend tout de suite la vocation fédératrice de la table, mais retourne ses souvenirs dans tous les sens pour décrire sa madeleine. Chevalier de toutes les tables, il est avant tout grand amateur de vin, mais il ne boude pas pour autant un bon menu et surtout un bon mezzé.

Ses prestigieuses fonctions d'enseignant et consultant l'ayant amené à vivre durant de longues années en Europe et aux États-Unis, ses goûts de table le ramenaient sans cesse à ses racines.

Il avoue d'emblée une grande faiblesse pour le *kebbeh*, plat emblématique libanais, celui de ses étés, enfant, à Souk el-Gharb, petit village typique de la montagne qui surplombe Beyrouth. Chibli entame son récit avec l'éloquence de César pour cacher son émotion à l'évocation des souvenirs de son enfance :

« Le *kebbeh mechwiyeh* (*kebbeh* grillé) de ma grand-mère Salma était le plus célèbre de la ville, en tout cas toute la famille en était fermement convaincue. L'image des doigts fins de l'artiste perfectionniste qu'elle était, qui sculptaient la pâte de *kebbeh*, l'étirant délicatement, est une des plus belles images de mon enfance. Elle étudiait scrupuleusement l'oblong de chaque unité. Il ne fallait surtout pas que la pièce du *kebbeh* en fuseau qui en résultait fût trop petite, ni trop pouf (sic !), ni trop remplie de graisse, ni trop effilochée. Trop petit, le mets devenait bouchée, trop pouf, inélégant, trop graisseux, écœurant, trop effiloché, malingre et inesthétique. Une géométrie appliquée dont elle seule avait le secret présidait à la forme finale du chef-d'œuvre et la perfection de la forme laissait deviner un goût de paradis. C'était le mets royal de la famille, qui couronnait aussi la gentillesse de ma grand-mère, et son dévouement sans fin. Sa douceur s'est ainsi figée dans mon éternité. »

Éloquence de conquistador, pour cacher l'émotion du souvenir, c'est aussi de douceur qu'a hérité Chibli. Son œil observateur a retenu le geste et le perfectionnisme de sa grand-mère, mais sa tendresse envers elle lui a fait comprendre qu'avec chaque bouchée de ce merveilleux *kebbeh*, sa chère *téta* l'avait aussi nourri d'amour.

Recette des *kebbeh* exceptionnels
de Salma, la grand-mère de Chibli

Ingrédients

Pour la pâte

500 g de *burghol* ou blé concassé

350 g de viande d'agneau hachée

1 petit oignon

1/4 de cuillère à café d'épices de *kebbeh* (poivre, cannelle, noix de muscade, cumin, gingembre et cardamome)

2 cuillères à café de sel

2 cuillères à soupe de farine

Pour la farce

300 g de viande hachée

1 oignon

1/4 de cuillère à café de mélange d'épices de *kebbeh*

2 cuillères à soupe de beurre clarifié

Pignons et noix concassées

1 pincée de sel

Préparation

1 Faire revenir la viande hachée avec l'oignon haché finement en petits cubes dans 2 cuillères à soupe de beurre ou d'huile.

2 Ajouter les épices et le sel.

3 Lorsque la viande et les oignons sont cuits, ajouter les pignons et les noix.

4 Faire revenir une dernière minute puis retirer du feu.

POUR LA PÂTE DU *KEBBEH*

1 Laver le *burghol* puis le laisser tremper dans de l'eau fraîche pendant 15 minutes.

2 Ajouter l'oignon coupé en quartiers, les épices de *kebbeh* et le sel.

3 Mixer le mélange au robot électrique, parsemer de farine puis former une boule. On obtient une pâte légèrement collante.

4 Laisser reposer.

5 Au bout d'une demi-heure, tremper les mains dans de l'eau et façonner une à une les boulettes de *kebbeh* en leur donnant la forme d'un œuf et en incorporant une cuillère de farce dans chacune d'elles.

6 Cuire au four ou frire suivant le goût de chacun.

Sylvain et Chantal
Arthus

Du côté des Charentes

Arrivé en 2002 au Liban pour un remplacement de deux mois, Sylvain Arthus ne pouvait pas deviner qu'il y croiserait la femme de sa vie et y bâtirait une si brillante carrière. Formé chez Richard Coutanceau, Jacques Le Divellec, Alain Ducasse, il passe deux années dans les cuisines de l'Élysée et celles du Ritz à Paris. Il est aujourd'hui l'un des chefs les plus doués de Beyrouth et sa cuisine essentiellement française, à l'élégance constante, est un phare rassurant qui a fait le succès largement mérité de La Table d'Alfred, enseigne au chic indémodable de la ville.

Entre deux services il me raconte ses souvenirs. Je l'écoute en méditant devant un chocolat liégeois trois étoiles de son invention où des pop-corn caramélisés, subtilement glissés entre une crème chantilly et des noisettes grillées, constituent à eux seuls une célébration de la gourmandise !

Ce que j'aime chez Sylvain c'est son application perpétuelle à l'amélioration des classiques de la cuisine française . Challenge quotidien à Beyrouth , qui commence par pister les bons produits qu'il est souvent obligé d'importer directement de Rungis.

Cuisine instinctive bien plus que livresque et toujours juste.

« Je suis né à La Rochelle, dans la Charente-Maritime. C'est ma mère, Chantal, délicieusement gourmet, qui m'a donné le goût de la cuisine. Toujours avenante et de bon conseil, elle a été certainement l'élément déclencheur de mon choix de carrière. C'est elle qui m'a transmis passionnément le goût des bons produits, le sens de l'accueil et celui de toujours se préoccuper du bien-être de ses invités à table. C'était absolument naturel chez elle et je la revois encore préparant des côtes de veau à la normande qui sont jusqu'aujourd'hui mon péché de gourmandise, celui de ma femme Carmen et de mes enfants, Jules et Louis. C'est avec ce plat qu'elle nous accueille à chaque fois que nous rentrons en France pour les vacances. »

S'il doit son initiation gourmande à sa mère, c'est son talent qui a fait le reste et c'est lui qui trace aujourd'hui son chemin, avec un travail acharné. Plusieurs fois sélectionné pour la finale du Meilleur ouvrier de France et du Bocuse d'Or, il jongle sans arrêt avec ses horaires, prenant sur ses heures de sommeil et ses loisirs pour donner le meilleur de lui-même.

Recette des côtes de veau à la normande

de Chantal et Sylvain Arthus

Ingrédients

Pour 4 personnes

2 côtes de veau doubles

2 pommes golden

5 cl de calvados

200 g de crème liquide

80 g de pain de mie en tranches toastées

250 g de tagliatelles

Sel, poivre du moulin

Préparation

1 Colorer dans une cocotte en fonte les côtes de veau puis les quartiers de pommes dans une poêle avec un petit peu de matière grasse (mélange beurre, huile d'olive).

2 Poursuivre ensuite la cuisson au four, jusqu'à ce qu'elles soient rosées.

3 Déglacer la cocotte avec le calvados, mouiller avec la crème et réduire en mettant le mélange à feu doux.

4 Cuire les tagliatelles dans de l'eau salée.

5 Égoutter et garder.

6 Rectifier l'assaisonnement puis dresser l'assiette avec les tagliatelles passées au beurre, les quartiers de pomme et les côtes de veau coupées en deux.

Laudy Iskandar Assaily,
Maurice et Mona
Iskandar

Ablama et cognac au balcon des souvenirs

Une amitié de longue date me lie à Laudy Iskandar Assaily. Nous nous sommes connues pendant nos escales respectives à Beyrouth durant les trêves octroyées au compte-gouttes durant la guerre civile. Elle, arrivant de Boston où elle poursuivait une formation en psychologie et communication, et moi de Paris. Elle s'occupe aujourd'hui d'une école de natation fondée par ses soins où elle transmet bénévolement sa passion pour ce sport tous les jours. L'attention que cette femme de tête et de cœur mettait à l'éducation du goût de ses enfants Kim, Andrew et Chloé prouvait à chacun de nos dîners gourmands qu'elle avait été elle-même élevée par une mère présente et attentive.

Maurice Iskandar, son frère, est, quant à lui, brillant financier avec un atout de taille, sa femme Shermine, concentré de bonne humeur et de joie de vivre. Les deux sont de grands gourmets et de joyeux dîners nous réunissent régulièrement. Un gigot parfumé au cognac est toujours au menu, aussi bien chez le frère que chez la sœur, signe d'une transmission réussie à fille et belle-fille.

À l'origine du délice : Mona Gemayel Iskandar, mère de Laudy et de Maurice. Simple et pragmatique, discrète et efficace, cette jeune grand-mère s'occupe avec amour de ses petits-enfants. Nous avons partagé, complices, quelques fièvres judicieusement cachées aux parents géniteurs, partis pour quelques vacances bien méritées dans le but de ne pas troubler leur séjour. Nous bavardions à la fin des consultations et j'appréciais à chaque fois son bon sens et sa mesure, regrettant presque que les varicelles n'apparaissent qu'une fois dans une vie. J'exposai mon projet à tous les trois réunis et bien sûr, chacun aborda la thématique à sa façon. Laudy se lança d'abord :

« Ce que ma mère Mona a réussi de mieux, côté éducation gustative, c'est avant tout de nous donner la curiosité des plats et des mets. Je rentrais avec elle à la cuisine et souvent mes frères Bennie et Maurice aussi. Elle expliquait sa cuisine variée et savoureuse puis nous faisait goûter. Je fais exactement pareil aujourd'hui avec mes enfants. J'ai beaucoup de souvenirs gourmands mais si je ne devrais en choisir qu'un seul, ce serait sans doute son gigot au cognac, devenu un classique de mes dîners. C'est toujours un plaisir de le faire aujourd'hui. »

Quant à Maurice, il me parla d'abord de courgettes farcies (ablama) qu'il dévorait, enfant, par saladiers entiers à son retour d'école. Défendant âprement sa madeleine de Proust, il finit par reconnaître qu'il y avait aussi le fameux gigot.

Mona me donna tout de suite la recette de son gigot a capella, en faisant sa petite marche sportive matinale, à condition que je ne la prenne pas en photo ! Accord conclu et recette testée et approuvée.

RECETTE
37

Recette du gigot au cognac

de Mona, Laudy et Shermine Iskandar

Ingrédients

1 gigot de 1,5 kg environ

3 gros oignons coupés en quatre

1 kg de petits oignons grelots

1 cuillère à soupe de beurre

1 cuillère à soupe de sucre

1 cuillère à soupe de maïzena

1 dl de cognac

1 bouteille de vin rouge type Syrah

Préparation

1 Préchauffer le four thermostat 7 pendant 15 minutes et y glisser le gigot tel quel.

2 Le retourner à mi-cuisson jusqu'à ce qu'il rosisse des deux côtés.

3 Rajouter alors les oignons coupés tout autour et remettre au four pendant 20 minutes.

4 Enlever le gigot du four, l'arroser de cognac et le flamber.

5 Laisser reposer la viande dix minutes, puis l'arroser de la bouteille de vin rouge.

6 Le recouvrir de papier aluminium et le remettre au four thermostat 3 pendant 5 heures.

7 Faire revenir les oignons grelots épluchés dans le beurre et le sucre. Les faire caraméliser et les rajouter à la sauce du gigot une heure avant la fin de la cuisson.

8 Enlever le plat du four.

9 Présenter le gigot dans un grand plat de service.

10 Rajouter à la sauce la cuillère de maïzena pour l'épaissir et la présenter à part.

Salah Stétié

Mille et une feuilles

Une maison musée vêtue de lierre dans un petit village des Yvelines et un sourire espiègle qui vous accueille sur le pas de la porte. Écouter Salah Stétié raconter ses souvenirs gourmands me donne la délicieuse impression, depuis le début de notre entretien, de déguster un mille-feuille. La vie de ce grand humaniste, homme de lettres et diplomate concentrant à merveille les lumières des deux civilisations libanaise et française et de deux cultures, européenne et orientale, est un livre immense, haut en couleur, dont on parcourt les pages avec délectation.

Son œuvre est une symphonie et sa poésie toute en douceur interpelle l'humain pour chasser tous les fanatismes. Passionné d'art et ami des plus grands artistes du XXᵉ siècle, il a su transmettre avec ferveur cette passion à travers les pages du supplément culturel de *L'Orient-Le Jour* dont il fut responsable durant les premières années de son lancement. Appelé ensuite par la fonction diplomatique, il n'a eu de cesse de montrer le Liban dans ce qu'il a de meilleur.

La liste des prix et décorations qui lui ont été accordés remplirait à elle seule trois pages et il vient de recevoir les insignes de commandeur de la Légion d'honneur française, la plus haute distinction octroyée par l'État français

Il est merveilleux de l'entendre parler de gourmandise ; ses yeux se plissent de plaisir et son visage sourit. Il raconte lentement, savourant les mots par petites phrases, comme s'il voulait en extraire toutes les saveurs. Chemin faisant, il vous raconte l'histoire de telle recette ou telle autre tradition de son pays natal, mais vous révèle aussi, en conteur infatigable, mille et une petites histoires concernant les sujets les plus divers : art, artistes, coutumes… Tout y passe.

« Je suis né à Beyrouth au début du siècle dernier dans une ancienne famille sunnite beyrouthine. J'ai toujours été gourmand mais avec mesure.

« Ma mère, Raïfé, totalement dévouée à sa famille maîtrisait à merveille le registre des recettes libanaises. Tout ce qu'elle nous proposait à mes frères et sœurs et moi nous enchantait, parce qu'elle faisait de son mieux pour nous le rendre aimable. Parmi tous les plats colorés et goûteux qui défilaient sur notre table, j'attendais avec impatience la *moujaddara*. Il n'y avait pas de jour fixe pour mettre ce plat au menu, ma mère le faisait au gré de son envie. Ces lentilles brunes, parfumées de cannelle, de poivre doux et de cumin, recouvertes d'oignons blondis dans l'huile d'olive, auront toujours pour moi le goût de la maison où j'ai grandi. J'en suis privé en France parce que personne autour de moi ne sait les préparer et que je ne sais pas cuisiner.

« C'est curieux comme, en prenant de l'âge, on aime retrouver les goûts de son enfance. Moi qui ai connu et apprécié toutes sortes de gastronomies au gré de mes pistes d'ambassadeur, à commencer par la merveilleuse cuisine française, voilà qu'aujourd'hui je rêve au quotidien de bonne cuisine libanaise. Les petites pâtisseries libanaises, le *baklawa* et surtout la *knefeh* au fromage, font mes délices. Mais je les consomme quand même avec modération.

« À la maison, ma mère nous présentait la *moujaddara* avec des aubergines confites dans l'huile d'olive, farcies de noix et conservées dans l'huile d'olive. Elle préparait patiemment ces *makdouss* par bocaux entiers en été et les parfumait d'ail et de piment rouge.

« Aujourd'hui je rapporte souvent dans mes bagages quelques bocaux, préparés par ma sœur qui a repris avec bonheur le registre de recettes de ma mère. Je consomme les *makdouss* tels quels sur un morceau de pain. Un pur délice !

« Ah, le pain libanais ! La boulangerie du quartier de mon enfance qui nous réveillait avec ses effluves de pain chaud est encore dans ma mémoire. En rêvant tout éveillé j'en retrouve les saveurs et, par la magie du souvenir, notre maison de Beyrouth, aujourd'hui détruite, ainsi que ses goûts et ses parfums. »

Chez Salah Stétié tout est poésie.

Il est si facile de se laisser porter avec lui dans la langueur de ses souvenirs. C'est un privilège que de visiter sa maison et une douce extravagance que de traverser sa vie, racontée à travers tableaux, documents, lettres, livres et sculptures.

Le monde d'aujourd'hui a tellement besoin de poètes…

RECETTE

38

Recette de la moujaddara

de Raïfé et Salah Stétié

Ingrédients

250 g de lentilles

120 g de riz

4 gros oignons

750 ml d'eau

1 cuillère à soupe de sel

1 cuillère à café de cannelle

1 cuillère à café de poivre doux

1 cuillère à café de cumin

2 cuillères à soupe d'huile d'olive spéciale cuisson

Préparation

1   Recouvrir les lentilles d'eau froide et faire cuire à feu doux pendant 30 minutes.

2   20 minutes après le début de la cuisson, rajouter le riz et laisser cuire. Le mélange va épaissir progressivement.

3   Éplucher et émincer les oignons, puis les faire caraméliser à l'huile.

4   En retirer un tiers de côté puis y rajouter un peu d'eau sur le reste des oignons et remuer doucement en regardant l'eau se colorer progressivement.

5   Verser la préparation sur les lentilles, rajouter le sel et laisser infuser encore un peu.

6   Servir le plat en décorant avec le reste des oignons caramélisés.

7   Présenter dans un plat de service accompagné de feuilles de menthe fraîches, de radis roses et d'oignons verts.

« À la maison ma mère présentait ce plat accompagné d'aubergines farcies de noix pimentées et confites dans l'huile d'olive. Ce makdouss d'aubergines accompagnait à merveille le plat de lentilles. »

Thérèse, Maria
et Bouchra Douaihy

Méli-mélo à Zghorta

Aller à la rencontre des spécialités gastronomiques de Zghorta et d'Ehden, fiers villages du Nord-Liban, est pour moi, chaque année, un moment de bonheur. Les découvrir chez Jabbour et Thérèse Douaihy est un privilège. Devant une table garnie de bout en bout de victuailles, *kebbeh* zghortiote en tête, la bonne humeur et l'*arak* coulent à flots. Quatre générations vous observent amusées et vous donnent, les quatre en même temps, recommandations et recettes. Vous ne savez plus où donner de la tête et, la douceur de l'air aidant, vous oubliez le temps.

Thérèse Douaihy officie, cigarette aux lèvres, animant la séance en phrasé zghortiote. L'idée de transmission lui donne des ailes et, en guise de mise en bouche du souvenir familial, commence par m'envoyer une ode au *kebbeh* typique de sa région, superbement décrit par ses soins. Confectionné avec de la viande de chèvre, longtemps battu à la main dans un bac en marbre, le *kebbeh* zghortiote est particulièrement savoureux et l'objet, à juste titre, de descriptions lyriques. Avec Thérèse qui le pétrit au propre et au figuré, il prend ses lettres de noblesse.

Elle me raconte ses souvenirs par épisodes :

« Je suis née à Zghorta et chez nous à la maison les plaisirs de la table ont toujours rythmé les saisons. Comme la plupart des familles du village, notre transhumance vers Ehden pour les trois mois d'été commençait dès le début du mois de juin. Toute la maison était en émoi et ma mère se faisait une joie de retrouver le *Miden*, place mythique d'Ehden, ses petits commerçants ainsi que ses habitudes gourmandes de l'été. Nous vivions quasiment en communauté et la préparation des repas réunissait les femmes de la famille à la cuisine. C'était toujours un moment de partage joyeux et chaleureux. La préparation du *kebbeh* était une tradition incontournable. Depuis l'époque, les ménagères portaient dès l'aube leurs grands plateaux garnis de *kebbeh* au four du boulanger du village et guettaient la cuisson afin que le mets ne soit pas trop cuit, houspillant sans cesse le brave homme chargé du brasier.

« Chez mes parents, nous avions, en plus de ces diverses sortes de *kebbeh*, un plat que j'aimais beaucoup, que je refais avec plaisir aujourd'hui et que mes filles Maria et Bouchra reproduisent maintenant à leur tour. Il s'agit d'une soupe épaisse composée d'un mélange de céréales bien dosées et surtout bien relevées, la *makhlouta*, qui est savoureuse, conviviale et réconfortante. »

Thérèse me donne bien sûr la recette en quatrains accordés et bien sonnés, récités dans la langue du Moutanabbi. Elle ne manque pas, entre les doses de pois chiches et de lentilles, de glisser d'un ton goguenard qu'il ne faut pas trop compter les calories en mangeant, me faisant part en passant de ses considérations personnelles sur les régimes et les modes alimentaires, ces ridicules inventions modernes qui déboussolent recettes et traditions…

RECETTE

39

Recette de la makhlouta

de Thérèse, Maria et Bouchra Douaihy

Ingrédients

1 verre de 125 g de pois chiches

1 verre d'haricots rouges

1/2 verre de lentilles brunes

1 cuillère à café de sel

2 cuillères à soupe de riz rond blanc

1 cuillère à soupe de blé concassé

2 gros oignons rouges

1 cuillère à soupe de cumin

2 cuillères à soupe d'huile d'olive

2,5 litres d'eau

Préparation

1 Faire tremper la veille les pois chiches et les haricots avec une pincée de bicarbonate alimentaire.

2 Le lendemain, jeter l'eau de trempage et garder.

3 Dans une cocotte à fond épais, faire revenir les oignons émincés dans l'huile d'olive.

4 Lorsqu'ils commencent à blondir, rajouter le sel et un demi-verre d'eau.

5 Au bout de 10 minutes, rajouter pois chiches, haricots et lentilles.

6 Couvrir de 2 litres d'eau et mettre à cuire pendant 40 minutes.

7 10 minutes avant la fin de la cuisson, rajouter riz et blé concassé.

8 Terminer la cuisson et rajouter le cumin et une cuillère à soupe d'huile d'olive.

9 Couvrir.

10 Laisser infuser une dizaine de minutes.

11 Déguster.

Alan et Elham
Geamm

L'alchimiste des saveurs

Depuis tout petit, son rêve était de devenir cuisinier. Né au Liberia dans une famille libanaise originaire de Tripoli el-Mina, Alan Geamm est quasiment autodidacte. Sa mère est son premier modèle et sa passion de la gastronomie française lui est venue par la télévision américaine à travers laquelle, au lieu de regarder dessins animés ou programmes pour enfants, il se passionna dès l'âge de huit ans pour les émissions culinaires. Élevé sur trois continents, pour cause de guerres civiles à la fois au Liban et au Liberia, son apprentissage aux fourneaux commence en observant attentivement le travail incessant de sa mère en cuisine. Le petit Alan s'imprègne de saveurs et goûte les plats à même la gamelle, comme celle de ce poulet fermier confit, cuit avec un ragoût de chou, tomates, poivrons rouges et piment vert, et servi avec du riz pilaf. Sa madeleine de Proust, première chose que le cuisinier réclame encore aujourd'hui à sa mère lorsqu'il rentre à Tripoli au Liban.

Nous déjeunons dans l'une de ses trois adresses parisiennes, ma préférée, rue Clément à Paris, à deux pas de Saint-Germain-des-Prés. Enveloppés d'un délicieux parfum de sablés au parmesan, nous remontons le temps et Alan raconte :

« Cela fait vingt ans que je cuisine et j'ai l'impression d'être né il y a seulement six mois. Le monde commence à découvrir un peu mon parcours et ça fait du bien d'avoir un peu de reconnaissance. J'ai toujours eu le goût de la cuisine, mais je n'osais pas trop l'exprimer car, comme tu le sais, au Liban, à l'époque où j'étais adolescent, cuisinier n'était pas un métier que les parents encourageaient. Ils voulaient tous que leurs enfants soient médecins, ingénieurs ou avocats.

« Malgré cela, l'influence de mes parents a été déterminante et leur affection très présente dans mon parcours. L'exigence et la rigueur de mon père m'ont poussé à toujours donner le meilleur de moi-même. Quant à ma mère, c'est à elle que je dois mes premières émotions en cuisine. Elle préparait en particulier un poulet extraordinaire, cuit dans une sauce parfumée que j'ai essayé de reproduire sans jamais pouvoir me rapprocher de sa perfection. Je la regardais cuisiner pendant des heures et je voyais sa précision pour doser une sauce, sa délicatesse à rouler des feuilles de vigne et j'admirais surtout sa patience. Mon premier essai en cuisine a été la fabrication d'une baguette à la française, comme on dit au Liban. J'avais six ans et me rappelle avoir recommencé huit fois pour arriver à un résultat comestible.

« Ma passion pour la cuisine française est comme une intuition que j'ai eue très tôt et que j'ai développée en regardant les émissions culinaires à la télévision américaine, lorsque mes parents, poussés par la guerre civile à la fois au Liban et au Liberia, avaient décidé de mettre le cap sur l'Iowa aux États-Unis. Quand j'ai fait plus tard mon service militaire au Liban, préposé aux cuisines, j'épluchais des patates et, grâce à l'armée, j'ai appris la rigueur et le respect des ordres. Mais aussi et surtout les bases de la cuisine, de la boucherie à la poissonnerie. Passionné par ma mission, faisant preuve d'un peu de créativité, j'ai atterri rapidement dans les cuisines des gradés. Je me souviens avoir alors redoublé les efforts pour présenter chaque jour un travail plus soigné, plus détaillé. Cette expérience confirma mon désir de faire de la cuisine mon métier. À la fin de mon service militaire, je suis parti avec mon sac à dos en Italie puis à Prague, où j'ai travaillé comme commis, apprenant de la culture culinaire de ces pays et découvrant surtout de nouvelles saveurs. Poursuivant mon rêve, je suis arrivé en France en 1999 dans le but d'apprendre la cuisine française. Pas un sou en poche ni d'endroit pour loger, j'ai passé une semaine à dormir en plein air en plein Champ-de-Mars, ne parlant alors pas un mot de français, mais acceptant tous les petits métiers pour atteindre mon objectif. J'ai passé mon CAP cuisine en candidat libre puis enchaîné les boulots d'apprentis et de commis. J'ai travaillé dans différents bistrots parisiens jusqu'à obtenir un poste de chef cuisinier. La France m'a donné la chance de grandir, d'évoluer et de nourrir ma passion. C'est ici que j'ai tout construit et je lui en suis très reconnaissant.

« Aujourd'hui lorsque je rentre au Liban, la première chose que je demande à ma mère est de me cuisiner ce poulet aux poivrons et à la tomate dont je raffole et qui, à chaque bouchée, me rappelle le chemin parcouru. »

RECETTE

40

Recette du poulet au chou et poivron

d'Elham et Alan Geamm

Ingrédients

600 g de chou vert

1 poivron jaune

1 piment rouge

4 cuisses de poulet

1 cuillère à soupe de poudre de curry

4 cuillères à soupe d'huile d'olive

1 tablette de bouillon Maggie ou Knorr Poulet

1 tablette de bouillon légumes

1 kg de pommes de terre à chair ferme

1 gros oignon rouge

Préparation

1   Couper le chou en lamelles, le poivron en petits morceaux et le piment en rondelles.

2   Saupoudrer les cuisses de poulet d'un peu de poudre de curry.

3   Réchauffer 3 cuillères à soupe d'huile d'olive dans une casserole large et profonde.

4   Y faire revenir les cuisses de poulet pour les dorer de tous côtés.

5   Les sortir quelques instants de la casserole et les disposer sur une assiette.

6   Mettre dans la casserole, le chou, le poivron et le piment rouge saupoudrer du reste de curry.

7   Bien mélanger.

8   Ajouter la tablette de bouillon poulet, laisser fondre puis mélanger.

9   Remettre les cuisses de poulet dans la casserole sur le chou.

10   Ajouter un bon filet d'eau bouillante et laisser mijoter le plat à feu moyen pendant 35 à 45 minutes en mettant un couvercle sur la casserole.

11   Entre-temps, peler les pommes de terre, les couper en morceaux réguliers et les faire bouillir dans de l'eau pendant environ 20 minutes.

12   Les égoutter et les écraser.

13   Peler et émincer l'oignon.

14   Faire chauffer 1 cuillère à soupe d'huile d'olive dans une poêle et y faire revenir l'oignon à feu doux pendant 3 minutes.

15   Mélanger l'oignon et l'huile dans la purée.

16   Y ajouter la marmite de bouillon légumes, la laisser fondre, puis mélanger la purée.

17   Répartir la potée de chou avec les cuisses de poulet dans des assiettes chaudes et disposer la purée à côté.

Jamale et Fayez
Jabado

Feuilles de vigne et feuille de route

Fayez et Jamale Jabado se sont connus dans les années soixante, adolescents, sur les bancs du Grand Lycée français de Beyrouth et, depuis, ne se sont plus jamais quittés. Leur histoire est là, en filigrane, dans tous leurs dîners somptueusement préparés par Jamale, que ce soit à Beyrouth, à Deddeh, leur village du Nord-Liban, ou à Paris. Sur leur table croulant sous les mets les plus exotiques et les plus variés, il y a toujours à l'honneur un plat de feuilles de vigne farcies à la viande, roulées finement et citronnées comme on les fait à Tripoli. C'est toujours de ce plat que je me sers en premier, parce que je sais qu'il est fait maison.

Tripoli est la ville d'origine de la famille de Fayez. Les Jabado y sont attachés et ne manquent pas une occasion de la mettre à l'honneur à travers le savoir-faire de ses artisans. Jamale me raconte ses souvenirs gourmands pendant que Fayez, passionné de photographie, trie son butin accumulé depuis des années pour me fournir de quoi illustrer l'entretien.

« Nous nous sommes mariés très tôt, pratiquement à la fin de notre scolarité, affirme Jamale. À l'époque, bien qu'élevée par une mère fine cuisinière, je ne savais même pas cuire un œuf. Je suis née à Beyrouth et j'ai grandi dans les traditions de table sunnites beyrouthines, mais avec une large variété de plats européens. Fayez, lui, est né à Tripoli et a ensuite été élevé à Beyrouth, avec ses sept frères et ses deux sœurs. Ayant perdu son père très jeune, il a dû endosser très vite les responsabilités familiales. Pour couvrir les besoins de tout ce petit monde, il travaillait le jour et prenait des cours de droit le soir. Le week-end était heureusement pour lui un temps de détente et le repas familial du dimanche un moment de partage toujours réconfortant et agréable.

« Les feuilles de vigne bien citronnées comme on les aime à Tripoli étaient toujours au menu. Ma belle-mère, Mayssara, commençait à préparer ce plat la veille, puisqu'il devait cuire pendant sept heures. Partageant le même immeuble familial à Beyrouth, elle m'avait gentiment prise sous son aile pour m'initier aux secrets de sa cuisine tripolitaine que j'apprenais avec beaucoup de plaisir.

« Patiente et douce, elle m'expliquait comment m'y prendre, me montrait les dosages des épices et de la sauce. Lorsque nous allions passer quelques jours à Tripoli, les traditions culinaires étaient encore plus présentes. Toutes les voisines, amies et femmes de la famille se réunissaient pour préparer les repas en buvant du café et en échangeant les histoires du quartier. Moments joyeux et instructifs dont je garde un excellent souvenir.

« En 1975, la guerre nous a fait prendre le chemin de la France où nous nous sommes installés durant de longues années. Les enfants grandissaient et Fayez, très pris par ses affaires aux quatre coins du monde, tenait absolument à respecter les traditions de Noël et celles du ramadan. Il s'arrangeait pour inviter toute la famille au gré de nos déplacements. Et invariablement, quelle que soit la latitude où l'on se trouvait, les feuilles de vigne de Maysarra nous ont toujours accompagnés. »

RECETTE
41

Recette des feuilles de vigne à la mode de Tripoli

de Mayssara et Jamale Jabado

Ingrédients

Pour 2 kg de feuilles de vigne

1 kg de côtelettes/gigot d'agneau

2 têtes d'ail

2 verres de jus de citron

Un citron coupé en rondelles fines

1 cuillère à soupe de gros sel marin

Poivre doux

Bâton de cannelle

Pour la farce

500 g de riz rond

500 g de viande hachée (mélange de veau et d'agneau)

2 cuillères à café de sel

1 cuillère à café de poivre doux

1 petit verre d'eau

1 cuillère à soupe d'huile d'olive

Préparation

1 Laver les feuilles de vigne fraîchement cueillies puis les mettre dans un faitout et les couvrir d'eau.

2 Laisser bouillir pendant environ 3 à 5 minutes.

3 Après le premier bouillon (ne pas laisser trop longtemps, sinon les feuilles risquent de se déchirer), égoutter.

4 Poser une à une les feuilles sur un plan de travail, y mettre une cuillère à café de farce et les rouler comme une cigarette, très finement.

5 Ranger les feuilles de vigne en rond dans une casserole à fond épais, en plusieurs étages.

6 Couvrir d'eau, à laquelle on aura rajouté le jus de citron, le verjus, l'ail et les citrons coupés en rondelles.

7 Cuire à feu très doux pendant au moins cinq heures jusqu'à ce que les feuilles de vigne farcies fondent carrément en bouche.

Jacqueline Jraissati

Portrait sans photo

Faire le portrait gourmand de Jacqueline Jraissati, c'est faire le pari de vous entraîner en quelques phrases vers une planète en marge du Liban réel, où tout est beau et bon. Passionnée de botanique, cette esthète du petit pois met autant d'amour à partager ses légumes et ses fruits qu'à les faire pousser. Dans sa maison au milieu de nulle part, à trente kilomètres au sud de Beyrouth, elle commence par vous faire visiter son jardin en vous présentant ses pousses comme on le ferait avec ses enfants, une à une, en vous racontant l'histoire de leur croissance : camphrier, romarin, amandiers et cognassiers, grenadiers jumeaux, à chacun son histoire et ses aventures. Dans sa cuisine laboratoire, elle s'amuse ensuite à mettre au point toute sorte de recettes de conserves de fruits et de légumes, avec, dans chacun de ses bocaux, une mission : votre bien-être.

Mon alliée chez Hippocrate me raconte par bribes son histoire gourmande et la maison de son enfance. Cette ancienne journaliste de l'AFP qui sillonna le monde durant des années a choisi de poser ses bagages, il y a quelques années, sur cette petite colline à l'entrée du village de Joun. Elle raconte cette belle histoire entre deux cigarillos, dans son petit salon au charme désuet, rempli de livres et de souvenirs :

« Je rentrais d'un dîner dans la région et le clair de lune ce soir-là invitait à la promenade. Il était tellement beau qu'on y voyait comme en plein jour. J'ai stoppé le moteur de ma voiture et me suis promenée tranquillement. J'étais enveloppée de parfums de garrigue. De la vallée paisible montait un murmure de ruisseau. On entendait le calme. Le temps était totalement suspendu. Ce fut pour moi une révélation ; une certitude, de celles qui vous viennent une fois dans une vie et vous font comprendre que vous touchez à l'essentiel. Il m'a fallu quelques heures pour prendre la décision de démarrer une autre vie et de m'installer ici pour réaliser le rêve que je portais depuis toujours en moi. Passionnée des plantes, fruits et légumes, je pouvais enfin m'en entourer et les voir pousser à loisir.

« La cuisine pour moi est synonyme de générosité et d'abondance. Lorsque je cuisine, je le fais par marmites entières et, comme je vis seule, je me retrouve à manger le plat préparé pendant une semaine, raison pour laquelle je me contente aujourd'hui souvent de salades et de quelques fruits.

« Dans la maison de mon enfance, la cuisine tenait un rôle de premier plan. Ma mère, Renée, élevée dans une famille de négociants en produits gastronomiques, se met encore aux fourneaux à quatre-vingt-dix ans passés et invente un gâteau par jour !

« À chaque fois que je vais la voir, je reviens avec un succès aux amandes délicieusement moelleux qui me rappelle le goût de mon enfance. Ce gâteau, ma mère l'a commandé pendant des années, avant que n'éclate la guerre civile, chez "La Brioche", pâtisserie phare de Ras Beyrouth. Son propriétaire, un Viennois installé au Liban, régalait toute la ville avec ses fins desserts. Comme Renée était sa meilleure cliente, elle avait fini par obtenir de lui la recette de ce fameux succès qu'il déclinait en deux versions, amandes et chocolat. Au final, elle le faisait pratiquement mieux que lui ! Depuis, c'est notre gâteau dominical, que nous dégustons toujours avec une pensée affectueuse pour son auteur, disparu avec sa boutique pendant la guerre. »

Le regard de Jacqueline se perd dans ses souvenirs et un joli sourire se dessine sur ses lèvres. Nous regardons passer les cigognes. En ce début de printemps, il fait soleil, l'air est doux, chargé d'effluves de fleurs d'oranger. Embouteillages et klaxons citadins semblent appartenir à un autre monde. Un ruisseau gargouille au loin. Ici, le temps est suspendu et tout est vraiment calme, luxe et volupté.

RECETTE

42

Recette du succès aux amandes

de Renée et Jacqueline Iraissati

Ingrédients

6 blancs d'œufs montés en neige ferme

400 g de sucre en poudre

600 g d'amandes en poudre (moulues pas trop finement)

1 cuillère à café de baking powder ou de levure chimique

1 l de crème fraîche montée en chantilly

Préparation

1   Préparer deux plateaux habillés de papier de cuisson.

2   Ajouter aux blancs montés en neige le sucre et la poudre d'amandes, progressivement, en mélangeant délicatement.

3   Diviser la préparation en deux parties et la répartir sur les deux plateaux.

4   Cuire 20 minutes à four thermostat 5/6 (180 degrés) et attendre le refroidissement des deux gâteaux.

5   Terminer le montage du gâteau en posant sur la première la crème chantilly parfumée au chocolat (1 cuillère à café de cacao pur mélangée à la crème), ou au café (1 cuillère à café de « Nescafé » diluée dans la crème).

6   Poser la deuxième partie du gâteau au-dessus.

7   Présenter le gâteau décoré de copeaux de chocolat ou parsemé d'amandes grillées caramélisées.

Claudine Élie Saab

Exercices de style

Ma rencontre avec Élie Saab remonte à l'an 2000, lors de son premier défilé de mode à Paris. Je découvrais émerveillée ce Mozart de la couture, renvoyant au monde une image du Liban empreinte de raffinement et de délicatesse. Au fil des ans, l'enfant surdoué a conquis les podiums et les tapis rouges du monde entier et a forgé un nom désormais synonyme de féminité, broderie et dentelle. Malgré un succès planétaire, l'homme est resté simple et accessible.

Élevé dans une famille de cinq enfants, originaire de Damour, il découvre une cuisine savoureuse et variée grâce à une mère aimante et attentionnée qui ne le prive même pas de dessert lorsqu'il taille dans les rideaux et les nappes de la maison jupes, robes et boléros. Bon vivant et amoureux de toutes les gastronomies, avec mention spéciale pour la française, il apprécie avant tout la cuisine libanaise.

Tout comme la mode, la cuisine est pour lui le reflet puissant d'une culture et relève du domaine de l'esthétique. Il aime à répéter que l'essentiel de la gastronomie tient à deux facteurs : le goût et la présentation. Il apprécie le pouvoir fédérateur des repas et son bureau de travail peut, en un clin d'œil, se transformer en une table chaleureuse et conviviale. Son épouse-muse, Claudine, s'occupe avec bonheur, depuis leur mariage, du chapitre gastronomie, organisant repas familiaux et réceptions somptueuses.

De grands yeux verts calmes comme des lacs, un regard doux à la Botticelli et un tendre sourire généreux vous accueillent. Claudine Saab est dotée, en plus d'une beauté naturelle, d'une élégance sereine et simple.

Dans le cadre de leur magnifique résidence du quartier de Gemmayzeh à Beyrouth, la première ambassadrice d'Élie Saab raconte leur très belle histoire, loin des feux de la rampe et du tapage médiatique de la marque portant le nom de son mari :

« Nous nous sommes mariés en 1990, pratiquement trois ans après notre rencontre, et nous avons trois enfants : Élie Junior, Michel et Celio. Éduquer leur goût et leur donner de bonnes habitudes alimentaires depuis leur plus jeune âge a été pour moi essentiel. Le repas étant un moment d'échange privilégié où parents et enfants se posent et se parlent tranquillement, le déjeuner du dimanche en famille a toujours été chez nous une tradition sacrée que nous perpétuons avec plaisir.

« Je veille à la qualité des produits et essaie de trouver du vrai bio : un vrai casse-tête au Liban !

« Nous recevons beaucoup et j'aime sélectionner moi-même les traiteurs et choisir les menus. L'élégance de la présentation est également très importante pour moi. L'harmonie de l'ensemble de la table est un prélude important à son succès.

« La cuisine libanaise et les mezzés sont toujours à l'honneur sur nos tables.

« Nous aimons beaucoup le poisson et, grâce à ma mère qui m'a donné le goût d'une cuisine toujours bien faite, j'ai appris à l'accommoder de mille et une façons. C'est d'ailleurs une recette de poisson que j'ai choisi de vous donner. Elle est souvent présente à table lors des déjeuners dominicaux. »

Toute en harmonie, Claudine Saab est aussi totalement en accord avec le cadre qui l'entoure. Écrin élégant, sans ostentation, où trônent des orchidées blanches, signature délicate de tous ses intérieurs et ses buffets, et qui témoigne silencieusement du raffinement du couple Saab.

Recette du poisson à l'orientale

de Claudine Élie Saab

Ingrédients

Pour 6 personnes

1 loup de mer entier de 2 kg préparé par le poissonnier

4 oignons

4 citrons

1 tasse à café de *thineh* (dans les magasins bio)

2 gousses d'ail

1 bouquet de coriandre

½ tasse d'eau

1 pincée de piment

1 sachet d'amandes entières sans peau

1 sachet de pignons

Sel et poivre

1 cuillère à soupe d'huile d'olive

Préparation

1 Placer le loup de mer entier (avec la tête et la queue) sur du papier aluminium sur une plaque. Saler et poivrer.

2 Cuire à four chaud pendant 20 à 30 minutes en fonction de la taille du poisson, à 180°C (thermostat 6).

3 Pendant ce temps, mixer l'ail avec la coriandre. Éplucher les oignons et les couper en rondelles fines.

4 Faire revenir les oignons dans une poêle avec un peu d'huile d'olive pour les brunir.

5 Ajouter une cuillère à soupe du mélange ail/coriandre mixés.

6 Dans un bol, mélanger la *thineh*, le jus des 4 citrons, ainsi que l'eau.

7 Ajouter les oignons à la préparation.

8 Faire bouillir le tout dans une casserole afin que le mélange épaississe.

9 Doser le piment selon votre goût.

10 Faire revenir les pignons dans une poêle pour les dorer.

11 Sortir le poisson du four et retirer la peau.

12 Le placer dans un grand plat de présentation et verser de part et d'autre la sauce encore tiède.

13 Pour décorer, rajouter sur le poisson et la sauce les pignons et les amandes.

Rania Sarieddine Akhras

Les dames de Aïn el-Mraisseh

J'ai fait la connaissance de Rania Sarieddine Akhras il y a près de quinze ans en répondant à un questionnaire militaire comme on passerait l'oral du bac !

Son fils Chafic dans les bras, cette élégante jeune femme, brillante et déterminée, abordait la maternité avec la rigueur de sa formation d'économie et de mathématiques, discutant au demi-centimètre près taille et croissance. Sa vivacité d'esprit, sa précision et sa logique m'avaient tout de suite amusée et conquise. Je découvris par la suite son éclectisme de la table, ainsi que l'éducation très pointue du goût qu'elle avait reçue et qu'elle s'efforçait de transmettre à ses enfants.

Mon projet l'enthousiasme tout de suite et elle me confirme les traditions de table bien ancrées dans sa famille, transportées de Aïn el-Mraisseh vers le Tennessee américain aller-retour.

Notre entretien se passe chez elle au centre-ville de Beyrouth dans sa maison musée, décorée avec goût. La rencontre avec sa mère, Farida Abou Izzeddine, dont j'avais jusqu'ici deviné l'influence en filigrane, devait ce jour-là me faire encore mieux connaître Rania et rajouter du goût au goût. Elles avaient préparé ensemble, toute la matinée, une magnifique *siyadieh* dont les parfums remplissaient tout l'immeuble, et une jolie table stylisée par Rania nous attendait dans la salle à manger. Nous bavardions, entourées d'albums de photos de famille et de carnets de recettes manuscrites, témoins silencieux de passages de relais gourmands. Farida, la mère de Rania, clone libanais de Lauren Bacall, s'exprime timidement, délicatement, sur la pointe des mots, désarmante de douceur.

« Je suis née dans le Tennessee aux États-Unis où mes parents avaient émigré. Nous avons été élevés, mon frère et moi, par une mère dévouée, très exigeante avec elle-même d'abord, et bien sûr avec les autres. Wadad Choucair, ma mère, cuisinait à merveille. Née dans une famille druze de Bzebdine, elle avait hérité du savoir-faire reconnu et très admiré des Choucair en cuisine. Lorsque nous rentrions parfois au Liban pour les vacances et que nous passions l'été entre Abbadieh et Bzebdine, la famille élargie nous faisait découvrir tous les jours de nouvelles saveurs et de belles traditions de table. Ma mère et ses sœurs avaient d'ailleurs chacune une spécialité qui portait son nom. Leurs cousines également. Elles avaient toutes l'air de sortir d'un livre de Jane Austen, commençaient toutes leurs phrases par "How do you do" et s'appelaient "Mrs" entre elles !

« À la maison, nos desserts avaient tous un prénom. Il y avait le gâteau de tante Najat, les sablés de tante Hikmat, les galettes de Mrs Jane... Ma cousine Layla, 90 ans, aujourd'hui doyenne de la famille, cuisine encore au quotidien !

« Lorsque je suis rentrée à Beyrouth après mes études universitaires à Boston, au début des années soixante-dix, pour me marier, j'étais munie de toutes les recettes manuscrites de ma mère. Je m'appliquais à les reproduire en me remémorant ses gestes et surtout son intransigeance pour la qualité des produits. Des plats de mon enfance, c'est la *siyadieh* qui me revient en tête le plus souvent. Ma mère la faisait en plein Tennessee et j'en ai transmis la recette à mon tour à ma fille Rania qui se débrouille très bien en cuisine. Lorsqu'en pleine guerre civile j'ai fui le pays avec mon fils et mon mari pour nous réinstaller pendant quelques mois aux États-Unis, Rania, qui était restée sur place pour poursuivre ses cours, reproduisait parfaitement tous les plats libanais. C'était un bonheur de constater qu'elle avait parfaitement assimilé nos traditions familiales. »

Comment en pourrait-il être autrement, lorsque l'on connaît la rigueur et le perfectionnisme de Rania ? La *siyadieh* ce jour-là, même à cinq heures de l'après-midi, était absolument délicieuse, saluée par de joyeux hourras de la part de Chafic, Sarah et Rakan, ses trois petits trésors, parfaitement gourmets !

RECETTE

44

La recette de la *siyadieh*

de Farida et Rania

Ingrédients

1 kg d'oignons blancs

1 mérou entier de 1 kg ou, à défaut, du cabillaud (à la place de mérou, vous pouvez choisir 1 kg de lieu en filet)

50 cl d'huile de tournesol

1 litre d'eau

1 cuillère à soupe de carvi brun moulu

1 cuillère à café de safran

1 cuillère à soupe de cumin

1 orange

1 citron vert

20 g de pignons de pin

30 g d'amandes entières

2 verres de riz basmati

sel et poivre

Préparation

1 Laver et couper le poisson en gros morceaux.

2 Couper les oignons en lamelles.

3 Mettre l'huile de tournesol dans une poêle et faire frire les morceaux de poisson. Réserver.

4 Dans la même huile, faire rissoler les oignons.

5 Remettre le poisson avec les oignons quelques minutes.

6 Dans une casserole, mettre un litre d'eau, le sel, le poivre, le safran et le cumin puis laisser mijoter quelques minutes.

7 Verser la moitié de l'huile ayant servi à cuire oignons et poissons, la moitié des zestes de citron et d'orange.

8 Quand le bouillon commence à épaissir, verser immédiatement le riz, laisser cuire à petit feu, puis couvrir.

9 Pendant ce temps, faire dorer les pignons de pin et les amandes.

10 Lorsque le riz est cuit, le servir dans un plat, mettre les morceaux du poisson sur votre riz et présenter le plat parsemé de pignons de pin et d'amandes.

11 Dans la poêle, dans l'huile restante, verser la moitié des zestes restants.

12 Faire bouillir légèrement, retirer et servir.

Rafic Baddoura

Le printemps des figues

J'ai fait la connaissance de Rafic Baddoura lors d'un récital de musique organisé par les amis du Musée national de Beyrouth. Nous étions fin 1995, la guerre civile avait plié bagage et le musée s'apprêtait, grâce au travail acharné d'une poignée de personnes de bonne volonté, à rouvrir ses portes. Jean-Pierre Rampal remplissait de ses airs joyeux la salle du colosse, chassant les ombres de la violence encore présentes sur les murs. Le sourire tranquille de Rafic et son analyse très fine de la partition musicale que l'on venait d'écouter racontaient son immense culture et sa sensibilité à côté de son impeccable formation médicale. Chef de service de rhumatologie à l'Hôtel-Dieu de France à Beyrouth, il est aussi un poète qui sait faire la part belle à ce qui compte vraiment dans la vie : la culture et l'amitié. Je recevais régulièrement des fruits, des gourmandises faites maison, toujours accompagnés d'un texte aussi délicieux que le présent :

« Durant mon enfance dans le village de Kfarhamel, l'année était un printemps perpétuel, divisée en quatre saisons qui reprenaient chacune le printemps à sa façon. Il y avait ainsi le printemps de la pause, le printemps des fleurs, le printemps des fruits et le printemps des confitures. Au printemps des fleurs, on pouvait admirer l'attrait des champs de coquelicots, anémones, marguerites et genêts, et ceux des amandiers, des pruniers et autres arbres fruitiers en fleurs. Au printemps des fruits, on pouvait déguster les divers parfums de fruits mûris au sein de l'arbre, "*aala oummo*" (muris sur la branche) selon l'adage. Au printemps des confitures qui débutait en septembre, on s'ingéniait à conserver ces instants de plaisir pour le printemps de la pause. Le fruit était suivi le long de ses transformations, de la figue fleur à la figue fruit. La même figue n'était pas la même entre un jour et son lendemain, un matin et le soir, au soleil ou à l'ombrage. Cueillir un fruit est un art de l'affût et de la patience. Le cueillir au juste moment de sa maturation, tout un art. Le confire, une sorte de consécration.

Du rituel de préparation des confitures dans notre maison de campagne, je garde un souvenir succulent. Mes parents aimaient partager ces délices avec leurs amis et il fallait en faire une quantité suffisante pour tous. Cela exigeait le recours à une énorme marmite en acier qu'on ne pouvait porter qu'à deux, chaque personne tenant l'une de ses grandes oreilles. La palette de bois pour remuer le contenu était deux fois plus grande que la marmite et il fallait bien la tenir avec les deux bras pour manœuvrer la cuisson, plus particulièrement quand la confiture commençait à prendre.

« La cuisson se faisait sur feu de bois, la marmite installée sur trois grosses pierres formant un U dans lequel étaient posées les bûches devant servir à la cuisson. Tout cela était une affaire d'adultes à laquelle, enfant, je tentais de me mesurer, en sollicitant la manœuvre de la palette en bois pour remuer assidûment la confiture, une image qui ne manquait pas de me rappeler celle du druide préparant sa potion magique. Pour toute cette œuvre, la patience était la clé de la réussite. Donner le temps au fruit cultivé de mûrir, le temps au fruit cueilli de confire, le temps au fruit confit de faire plaisir. La délicatesse d'une confiture n'est autre que cette prouesse à laisser le fruit s'exprimer naturellement pour le cueillir, laisser au fruit le temps de livrer son parfum pour le conserver, laisser au fruit le temps de vous raconter cette belle histoire de printemps.

« Les figues doivent avoir la pulpe blanche, être mielleuses et bien imprégnées de soleil. Au maître d'œuvre ensuite de raconter sans faillir cette belle histoire et la mettre en confiture. La confiture de figues était la signature gourmande du village, chaque parcelle de maison arborant son figuier. Lorsque, dans les chaudrons de chaque maison, les confitures commençaient à prendre, après avoir été longuement remuées à la palette, chaque famille pouvait alors jouer les variations, en rajoutant de l'eau de rose, de l'eau de fleur d'oranger et de la poudre de résine de lentisque ou *meskeh*, donnant un petit supplément d'âme au parfum originel.

« Au terme de ce passage, les figues méritaient bien un repos, en dehors du feu, en dehors de la grande marmite, laissant derrière elles un reste, la *khata*, l'extrait retenu par le fond et les parois de la marmite, moelleux et savoureux, avant-goût de la confiture ainsi obtenue, que l'on raffolait de déguster tout tiède, tout frais. Inutile de vous dire que laver la marmite après n'était pas une simple affaire ! »

Recette de la confiture de figues

de Rafic Baddoura

Ingrédients

500 g de figues fraîches

2 verres d'eau

1 cuillère à soupe d'eau de fleur d'oranger

50 g de graines de sésame

150 g de sucre

Le jus d'un demi- citron jaune de taille moyenne

1/2 cuillère à café de fenouil en grains

1/2 cuillère à café de *meskeh* ou lentisque

1/2 cuillère à café de *mahlab*

Préparation

1 Équeuter les figues et les couper.

2 Faire bouillir l'eau, le sucre et le jus de citron.

3 Ajouter les figues progressivement.

4 Ajouter les épices.

5 Laisser mijoter 20 minutes en remuant régulièrement.

6 Faire dorer les graines de sésame en remuant sans arrêt et les réserver.

7 À la fin de la cuisson et hors du feu, ajouter les graines de sésame, l'eau de fleur d'oranger et le *meskeh*.

8 Mettre en pot et fermer.

Robert Fadel

Modernité, justes épices et traditions

Jeune député au Parlement libanais, énarque, diplômé de Sciences Po Paris, brillant homme d'affaires, Robert Fadel est aujourd'hui le gérant de plusieurs entreprises dont l'ABC, enseigne mythique, fondée en 1948 par son père Maurice.

À l'origine de plusieurs projets offrant aux générations montantes du Liban de vastes possibilités de travail et de nouveaux horizons, Robert Fadel est avant tout un père attentionné. Il entretient avec ses enfants une complicité gourmande très attendrissante, faite de rituels établis au fil des ans et auxquels il se plie avec plaisir. Enthousiasmé par l'idée du livre et encouragé par sa fille Serena qui raconte avec joie les talents de son papa en cuisine, il se prête à l'exercice et rassemble ses souvenirs gourmands :

« Je suis né et j'ai grandi avec mes frères à Beyrouth jusqu'au moment où la guerre civile nous a obligés, comme beaucoup d'autres familles, à mettre le cap sur l'Europe. Mon père, originaire de Tripoli, siégeait au Parlement. Il m'a transmis son amour pour sa ville, son goût de l'entreprise, sa ténacité et le souci du bien-être des employés pour arriver à un travail bien fait.

« Ma mère s'occupait davantage de notre éducation artistique et musicale. Tous les deux avaient le goût de la table et recevaient beaucoup, mais c'est à ma grand-mère paternelle, Serena, que je dois mes premiers souvenirs gourmands. D'ailleurs, c'est par affection pour elle que j'ai donné son prénom à ma fille cadette.

« Enfant, tous les week-ends, j'étais à Tripoli, dans l'immeuble familial où ma grand-mère résidait. Elle avait une volière sur le balcon de sa cuisine où je me réfugiais pendant des heures. Elle préparait à merveille les mezzés libanais et je la regardais faire, fasciné par sa gestuelle et son tour de main précis. Elle me racontait les ingrédients, me décrivait leurs rôles et leurs vertus. Et puis, bien sûr, elle me les faisait goûter en passant ! Son *chankliche* était si merveilleux que j'en rêvais durant mes années d'internat en Europe.

« Aujourd'hui reproduire ce plat est un moment de complicité avec mes enfants et un moment de partage en pensée avec elle. Souvenir gourmand et tendre et fil ténu tendu entre les trois générations. Ça tombe bien : mes enfants adorent ce plat de fromage goûteux et haut en couleur. »

Recette du chankliche

de Robert et Serena Fadel

Ingrédients

Pour 6 personnes

200 g de fromage frais caillé de chèvre ou labneh

2 cuillères à soupe de *zaatar*

1 cuillère à soupe de cumin

1/2 cuillère à café de piment de cayenne en poudre

Préparation

1 Mettre la *labneh* bien égouttée, sèche, dans un plat creux et l'émietter grossièrement avec les doigts.

2 Mélanger le *zaatar* et la poudre de piment dans un petit bol.

3 Saupoudrer les épices sur la *labneh* et mélanger le tout sans écraser.

4 Couvrir le plat puis réserver au frais.

5 Servir avec des quartiers de tomates arrosés d'huile d'olive et parsemés de basilic frais ciselé et d'anneaux d'oignons frais.

6 Des concombres coupés en dés et des feuilles de laitue romaine peuvent également être présentés avec cette préparation.

Reem et Randa
Siklawi

Cacao, madeleines et chocolat

Elle vient à peine de terminer sa formation professionnelle et sa vie est déjà bien remplie. Fan de cuisine depuis toute petite au point de vouloir en faire son métier, Reem Siklawi intègre l'école du Cordon bleu d'Ottawa dès la fin de son cursus scolaire au Collège protestant à Beyrouth. Encouragée par ses parents, elle se lance sur la route du sucre avec ferveur et passion. Pendant deux ans, avec Christian Faure, pâtissier canadien de renom, son mentor en cuisine, elle apprend les ficelles du métier et ouvre avec lui une pâtisserie au Canada. L'éloignement du cadre familial lui fait reprendre, dix-huit mois plus tard, la route de son pays natal.

Pragmatique, elle commence par cuisiner chez elle à la maison et se donne un an pour réussir. Mission largement accomplie. Aujourd'hui, son enseigne intitulée « Maison S », comme une maison de haute couture, brille de mille feux. Il est vrai que ses desserts sont pratiquement cousus main, réalisés un par un.

Comme souvenir gourmand, Reem a opté pour la recette de la madeleine, apprise de sa mère. Dans son atelier cuisine, elle me raconte avec sa spontanéité habituelle :

> « C'est ma mère Randa qui m'a transmis la passion des desserts. Elle avait elle-même été élevée dans une tradition gourmande en Côte d'Ivoire, dans une belle maison entourée de champs de cacao. Son père était négociant en café et distributeur de fèves de cacao et sa mère, ma grand-mère, Selma, organisait quotidiennement dans cette maison des goûters gourmands pour réunir famille et amis. Elle essayait ainsi tous les jours de nouvelles recettes et les faisait partager. Ma mère a reproduit le schéma. Enfant, je me souviens qu'en nous mettant au lit, mes sœurs et moi, elle nous promettait un nouveau gâteau pour le lendemain.
>
> « Comment voulez-vous dormir avec les parfums de vanille, de chocolat et de caramel en provenance de la cuisine ? Nous étions en permanence entourées d'arômes et de douceurs. Jusqu'aujourd'hui, elle me donne son avis, réajuste une crème et m'aide à gérer la bonne marche de la boutique de Beyrouth. »

Une si jolie histoire ne peut que vous inviter à plonger les yeux fermés et les sens en éveil dans la dégustation de ces extraordinaires gâteaux de la « Maison S » : tarte aux noix de pécan, aux framboises, cannelés divins, et délicieux gâteaux au chocolat... Tout y est bonheur !

RECETTE
47

Recette des madeleines

de Reem et Randa Siklawi

Ingrédients

Pour 30 madeleines

3 œufs

150 g de sucre

200 g de farine

20 cl d'eau de fleur d'oranger

1 sachet de levure chimique
ou une grande cuillère à soupe

100 g de beurre fondu

50 g de lait

1 gousse de vanille

Préparation

1   Faire fondre le beurre dans une casserole à feu doux, réserver.

2   Mélanger les œufs avec le sucre, jusqu'à ce que le mélange blanchisse.

3   Ajouter ensuite la fleur d'oranger, les grains de la gousse de vanille ouverte en deux et 40 g de lait.

4   Ajouter la farine et la levure chimique, puis le beurre et le restant du lait ; laisser reposer pendant 15 minutes.

5   Beurrer les moules à madeleines et y verser la préparation en remplissant les alvéoles à moitié.

6   Cuire à 240°C (thermostat 8), puis baisser au bout de 5 min à 200°C (thermostat 6).

7   Laisser encore 10 minutes.

8   Démouler dès la sortie du four.

9   Déguster tièdes.

Maya et Yolla
Khoury-Helou

Les petits carrés de Batroun

Parler de Maya et de sa mère Yolla c'est comme parler d'une famille choisie dont la vie vous fait quelquefois cadeau. Nous avons connu les mêmes peines et partagé ensemble beaucoup de moments de joie. Née au cours d'une scolarité chahutée par la guerre, notre amitié à Maya et moi se poursuit aujourd'hui à travers nos enfants.

Yolla Khoury-Helou, mère de Maya, était une femme délicate et raffinée. Malgré les revers de la vie, elle restait dynamique et joyeuse, entreprenait mille projets à la fois. Toujours élégante et à la pointe de la mode, elle avait en permanence, dès que l'on franchissait le pas de sa porte, mille et une gourmandises à vous faire goûter et toujours de quoi nourrir une armée. Sensible à la détresse dans un pays qui compte souvent sur la bonne volonté pour soigner les maux de ses enfants, elle se fournissait en tout auprès d'artisans, afin de contribuer à leur donner de quoi vivre décemment. Chacune de ses confiseries avait pratiquement une histoire, celle des mains habiles qui l'avaient confectionnée.

Née dans une famille de Batroun vouée à la chose politique, sa mère, Aimée, tenait déjà table ouverte toute l'année. Yolla avait reproduit le schéma pour soutenir son époux, Antoine, maire durant de longues années du chef-lieu de Baabda.

Aujourd'hui, c'est Maya qui a pris la relève. Psychologue de formation, coach d'action, elle vous remet sur pied une multinationale en trois jours de séminaire et trouve encore le temps de cuisiner.

Maya, très émue par le souvenir, me raconte la cuisine de sa mère :

« L'image que je garde de maman aux fourneaux, c'est d'abord un caddie plein à craquer de fruits, légumes, poissons, fromage en provenance du marché de l'avenue d'Iéna, à Paris. Nous habitions tout près et elle avait bien sûr ses fournisseurs préférés. Deux fois par semaine, par tous les temps, elle était au marché dès 7 h du matin. Une table fleurie et colorée accueillait toujours famille et amis passant à l'improviste. Elle avait fait siennes plusieurs recettes que nous lui réclamions toujours avec plaisir : soles meunières, artichauts aux fèves et à la coriandre..., mais le goût le plus savoureux qui me reste d'elle est celui de petits gâteaux à la semoule, carrés et moelleux, qu'elle affectionnait particulièrement et prenait un plaisir fou à préparer : la *nammoura* dont elle tenait déjà la recette de sa mère, Aimée, cuisinière batrounienne émérite.

« Je perpétue aujourd'hui la tradition de temps en temps à Paris, essayant à chaque fois de me rapprocher de sa perfection, me remémorant ses gestes avec tendresse, la façon dont elle versait le sirop parfumé sur le gâteau encore chaud.

« Mes enfants me réclament régulièrement cette recette et je suis contente qu'elle leur parle encore de Yolla, leur grand-mère adorée ! »

RECETTE
48

Recette de
la *nammoura*

de Yolla et Maya Khoury-Helou

Ingrédients

Pour 40 pièces

300 g de semoule fine de blé dur

250 g de lait entier

150 g de sucre

100 g de purée de sésame blanche (*thineh*)

5 cuillères à soupe d'eau de fleur d'oranger ou 4 cuillères à café de sirop de rose

1 cuillère à café bombée de baking powder

une trentaine d'amandes entières mondées

Pour le sirop

30 cl d'eau

200 g de sucre

100 g de miel (50 g si vous préférez l'option parfumée à la rose)

5 cuillères à soupe d'eau de fleur d'oranger ou 4 de sirop de rose

Préparation

1   Mélanger tous les ingrédients en les rajoutant un à un.

2   Verser dans un moule de 30 cm de diamètre.

3   Laisser la pâte reposer pendant une heure.

4   Enfourner dans un four à 180°C.

5   Cuire pendant 30 minutes jusqu'à ce que la surface soit bien dorée.

6   Confectionner le sirop en mettant tous ses ingrédients dans une casserole à fond épais. Faire cuire à feu doux et dès qu'il épaissit arrêter la cuisson. Le verser dès qu'il commence à refroidir sur le gâteau encore tiède.

Fifi Abou Dib
et Marie Abou Khaled

Sofar so good

Fifi Abou Dib tresse les mots pour en faire des fleurs. Pour vous la présenter, j'hésite entre journaliste, écrivain ou poète, et pense que les trois, ensemble, ne suffiraient pas. Cette fée a un stylo en guise de baguette magique, transformant sans relâche un quotidien anémique en lui injectant de belles couleurs par jolies phrases choisies.

Arrivée au journalisme après des études de lettres, de droit et d'arts plastiques entre Beyrouth et Paris, ses « impressions » tous les jeudis dans le quotidien libanais francophone *L'Orient-Le Jour* donnent l'air du temps et le rendent léger et respirable, une véritable performance hebdomadaire. C'est d'ailleurs à la suite de la lecture de son impression décrivant « le gâteau au chocolat du Grand Hôtel de Sofar » (qui est reproduit avec son accord) que je l'ai invitée à se joindre aux « portraits gourmands ».

Mon projet l'amuse et elle hésite entre un *kebbeh* nayeh (*kebbeh* cru) et un gâteau de famille qu'elle confectionne souvent avec sa fille Marie, sublime petit bout de femme de vingt ans, véritable concentré de grâces, dotée d'un brin de voix miraculeux. Végétarienne, Marie décide de la recette et opte d'emblée pour le gâteau. Fifi raconte :

> « Cette recette nous vient de Claude Hatem, la tante de Marie. Elle fait la joie de toute une ribambelle de cousins qui ont grandi ensemble, ayant la chance d'être tous nés à quelques mois d'intervalle. Elle fait partie de toutes les fêtes et de tous leurs souvenirs heureux. Aujourd'hui étudiants, dispersés dans tous les coins du monde, tous savent la reproduire, c'est leur véritable madeleine ! Marie remplace parfois le chocolat par du thé matcha, pour les amateurs de gâteaux verts ! »

Le gâteau au chocolat du Grand Hôtel de Sofar

Il y avait une surprise pour le dessert. Un gâteau au chocolat pourtant semblable, en apparence, à tous les gâteaux au chocolat. Ferme et sec avec une traînée légère de sucre glace, comme une première neige sur la croûte fendillée. Moelleux à l'intérieur mais pas coulant, juste un peu collant, la consistance d'une mousse plutôt que d'une crème. Les initiés avaient aussitôt reconnu. Murmures, émotion : « Le gâteau de Sofar ! » On bride sa gourmandise. L'adulte que l'on est morigène le gamin que l'on fut. Il se fait ensuite un silence.

De la bouchée suspendue au bout de la fourchette à trois dents s'évadent les volutes épicées des narguilés sur la terrasse, l'arôme des cafetières fumantes, le relent composite de friture, de céleri et d'orange qui flotte dans les prémices des cuisines, le roulement des dés sur les tables de jacquet, les grands éclats de rire qui fusent dans le bourdonnement des conversations, le craquement des pommes de pin sous le soleil d'été, le chant obsédant des cigales jusqu'à la tombée du jour, le chahut des enfants, le chuintement furtif des bicyclettes. On a beau ne pas avoir connu le Grand Hôtel de Sofar, tout cela est bien là, dans cet instant arrêté, dans les yeux brillants des convives.

Le gâteau de Sofar, c'est comme le tournedos Rossini, la pêche Melba, la meringue Pavlova : la survivance, dans l'émotion des papilles, d'une création culinaire inspirée par le prestige d'un artiste ou celui d'une époque.

À mesure que l'on interroge ce chocolat pour en déchiffrer le mystère, on se dit que ce Liban-là, le Liban du Grand Hôtel, avait décidément du talent. Heureux de son indépendance naissante, fier de sa convivialité retrouvée, attaché à des valeurs romanesques, attaché à la beauté de ses villages et paysages, conscient de la nécessité de respecter le Pacte pour garantir la prospérité de tous, il savourait doucement le simple plaisir d'exister.

Cette recette, créée avec un certain orgueil à l'intention d'une clientèle avertie mais que l'on pouvait encore surprendre, a connu bien des péripéties pour arriver jusqu'à nous, et c'est là le miracle. Traversant exils et guerres, presque sous le manteau, transmise par le chef pâtissier à une habituée qui avait eu les mots, et puis de mère en fille et de voisine en copine sous le sceau du secret, elle seule héberge encore, dans un soupçon de farine, l'âme errante de l'hôtel appuyé sur ses ruines dans Sofar désert.

Était-ce le délicat équilibre du sucre, des œufs, de ce rien de farine et de ce chocolat ? Nul, en ce temps-là, n'aurait imaginé le désolant spectacle qu'offre aujourd'hui du Liban une classe politique totalement dépourvue de panache et dont il nous est impossible de nous désolidariser. Savent-ils seulement à quel point il nous est pénible, répugnant, humiliant, d'entendre les discours irresponsables des uns et d'assister aux navrantes courbettes auxquelles se contraignent les autres pour rattraper le tir ? Et de voir les dirigeants arabes abuser de concert, avec un sadisme consommé, d'une situation qui leur permet d'exiger des excuses de plus en plus plates, et proférer crescendo des menaces qui, si elles se réalisaient, feraient tomber ce pays comme le fruit véreux qu'il est. Notre époque n'a décidément rien à transmettre. Pas même un biscuit rassis. D'où notre amour des madeleines.

Texte de Fifi Abou Dib
paru dans L'Orient-Le Jour
du 25 février 2016

RECETTE
49

Recette du gâteau au chocolat

de Fifi, Marie et Claude

Ingrédients

5 œufs

2 tasses de sucre

2 tasses de farine

200 g de beurre

7 cuillères à soupe rases de sucre

7 cuillères à soupe rases de cacao en poudre (de préférence Van Houten ou similaire)

1 tasse de lait frais entier

2 cuillères à café rases de levure chimique

Zeste d'un citron

Préparation

1 Préchauffer le four au thermostat maximal.

2 Beurrer et fariner un moule de format moyen.

3 Faire très légèrement fondre le beurre au micro-ondes.

4 Incorporer au beurre deux tasses de sucre et battre.

5 Ajouter les œufs un à un tout en battant.

6 Ajouter les deux tasses de farine et le zeste de citron et continuer à battre.

7 Laisser reposer.

8 Pendant ce temps, dans une petite casserole, verser le lait, les 7 cuillères de sucre et les 7 cuillères de cacao.

9 Faire chauffer à feu doux en remuant jusqu'à obtenir un mélange homogène (ne pas laisser bouillir).

10 Ajouter cette préparation au mélange précédent et bien battre.

11 Ajouter la levure chimique et continuer à battre.

12 Verser dans le moule et enfourner cinq minutes au thermostat maximal puis baisser le feu jusqu'à environ « la moitié du thermostat maximal de votre four » pour 25 minutes.

13 Enfoncer une pointe en fin de cuisson. Si elle sort sèche, votre gâteau est prêt.

14 Pour décorer le gâteau, d'habitude on place en grillage des piques à barbecue et on saupoudre de sucre en poudre avant de les retirer. Ça fait un joli décor en losanges qui ajoute une madeleine visuelle à la madeleine papillaire.

Janine Rubeiz
et Nadine Begdache

Des courgettes, de l'art et de l'amour

J'avais dix ans lorsque je rencontrai Janine Rubeiz pour la première fois, lors d'une visite scolaire programmée par un professeur d'arabe bienveillant et avant-gardiste. Elle était restée pour moi inoubliable, au milieu des années 1970, dans la légendaire Galerie Dar el-Fan de Raouché à Beyrouth. Le discours de Janine, femme menue et élégante, sa détermination à prôner laïcité, féminisme et dialogue des cultures m'avaient fortement impressionnée. Sa présentation brillante des œuvres exposées lors de cette visite racontée en mots simples nous avait révélé avec passion la pensée de l'artiste (Aref el-Rayess).

Le lieu devait être complètement détruit durant la guerre civile et Janine Rubeiz devait poursuivre son combat dans son appartement de Raouché en le transformant en maison d'artistes. Cultures arabe et occidentale s'y rencontraient avec grâce, jusqu'à la fin des années 80, pour défier la guerre. À chaque accalmie furtive des combats, j'y faisais escale pour glaner un peu de beauté et d'espoir.

En 1993, lors de vacances beyrouthines, je découvris Nadine Begdache, la fille de Janine Rubeiz, qui inaugurait officiellement la galerie qui porte désormais le nom de sa mère. Nadine, héritière des idées de sa mère, imprime sa marque au lieu en décidant d'y promouvoir uniquement des artistes libanais. Au fil des ans, c'est avec un immense plaisir que j'y découvre des talents cachés et que j'y retrouve Nadine dont j'apprécie l'éclectisme et l'élégance discrète.

De nourritures spirituelles en nourritures terrestres, ses souvenirs gourmands me permirent de mieux la connaître, comme autant de tableaux couleur sépia suspendus sous la verrière de cet espace qui fut sa maison d'enfance et qui est aujourd'hui une oasis de beauté et un beau phare culturel de Beyrouth.

« C'est Marcelle, ma grand-mère maternelle, qui m'a initiée à la cuisine. Chez elle, c'était tout le temps table ouverte avec plein de petits plats délicieux. Elle invitait la famille et les amis et tous appréciaient les bonnes choses qu'elle leur offrait.

« Ma mère, quant à elle, était une femme de tête et d'esprit, visionnaire, nationaliste, avec, pour intérêt principal, les valeurs de la vie. Ses invitations familiales et/ou amicales étaient plus axées sur l'importance des relations humaines et les sujets d'actualité : artistiques, culturels, politiques, philosophiques... Ses menus étaient toujours de qualité, mais comptaient peu pour elle.

« Mon père, en revanche, aimait les réunions amicales, conviviales, affectueuses autour de bons plats. Enfant, j'étais donc à l'écoute des conversations, subjuguée par les idées, mais surtout ravie de bien manger car j'appréciais déjà la bonne chère. Ma mère aimait à raconter qu'à l'âge de 6 ans, je réclamais déjà du camembert et du roquefort !

« Un de mes souvenirs gustatifs les plus vifs était l'histoire du *koussa mehchi*. Le plat de courgettes farcies que je n'appréciais pas du tout et que j'essayais d'éviter en négociant pour avoir autre chose à manger. Il n'en était évidemment pas question ! Je devais me servir du plat préparé, sans rechigner et surtout sans faire de caprices de petite fille gâtée. Plus mon entêtement s'affirmait et plus ma mère s'obstinait.

« C'est ainsi que je retrouvais à dîner le plat de *koussa* refusé à déjeuner et si je continuais à refuser de le manger le soir, eh bien, je le retrouvais le lendemain, jusqu'à ce que je finisse par le goûter, mon estomac criant famine. Cette méthode ne me fit pas pour autant apprécier ce mets mais je finis, bon gré mal gré, par l'ingurgiter lorsqu'il était au menu. Aujourd'hui je le mange avec plaisir et je le prépare très bien aussi. C'est un des plats favoris de mes petits-enfants !

« En le préparant, je remercie avec émotion Janine et Nadim pour leur éducation. Je ne peux non plus m'empêcher d'avoir une pensée affectueuse pour ma grand-mère Marcelle qui m'a appris toutes les ficelles de la bonne cuisine beyrouthine que je reproduis aujourd'hui, pour le grand bonheur de ma famille ! »

RECETTE
50

Recette des courgettes farcies
de Janine Rubeiz et Nadine Begdache

Ingrédients

Pour 8 personnes

2 kg de petites courgettes vertes

5 cuillères à soupe de jus de citron

1 boîte moyenne de tomates concentrées (150 g)

Plusieurs gousses d'ail

1 cuillère à café de menthe séchée

Sel

Pour la farce

400 g de riz rond italien ou égyptien

400 g de viande hachée grossièrement (d'agneau ou de bœuf)

2 cuillères à soupe d'huile d'olive

1 cuillère à soupe de concentré de tomates

1 cuillère à café de menthe séchée

1/2 cuillère à café de piment doux

1/2 cuillère à café de poivre doux

Sel

Préparation

1 Laver les courgettes, couper les extrémités, puis les évider à l'aide d'un vide-courgette.

2 Retirer une première fois le cœur, puis répéter l'opération pour évider les bords. C'est un peu délicat, il faut faire attention à ne pas casser la courgette

3 Préparer la farce.

4 Laver le riz puis le couvrir d'eau chaude (laisser reposer quelques minutes).

5 Ajouter la viande hachée, les épices et le concentré de tomates.

6 Mélanger le tout.

7 Farcir les courgettes mais pas complètement, et ne pas presser la farce car le riz va gonfler pendant la cuisson et les courgettes risqueraient d'éclater.

8 Lorsque la viande est presque cuite, ajouter au bouillon de viande le concentré de tomates, le jus de citron, l'ail (des gousses d'ail entières ou bien de l'ail pilé), la menthe et le sel.

9 Disposer les courgettes dans cette sauce, par-dessus la viande.

10 Compléter avec de l'eau pour recouvrir le tout.

Nada Zeineh

Arabesques

Longtemps, j'ai emmené partout Nada Zeineh avec moi sans la connaître. Ses colliers, toujours d'un raffinement exquis, agrémentaient mes tenues avec la sensation d'un sur-mesure. J'offrais également avec fierté ses bijoux aux personnes que j'aime, un peu partout dans le monde, en racontant son histoire. Architecte de formation, Nada est à l'origine de magnifiques réalisations comme la savonnerie de Saïda et le musée archéologique de l'Université américaine de Beyrouth. Cette femme fine et élégante a un sourire de petite fille. Elle se promène dans le monde entier pour y glaner des idées et des formes, puis les transforme en pièces d'art faites de laiton martelé, habillé d'une fine couche d'or.

Je devinais sa gourmandise par sa façon de recevoir dans son atelier sur les toits de Tabaris à Beyrouth, qui raconte encore un peu la ville d'antan. Elle va à l'essentiel avec des produits simples et toujours bien choisis. Avec son époux, Youssef Haidar, architecte de formation, cuisinier par passion, et leur complice de saveurs, le gourmet-chef Toufic el-Zein, ils sont à l'origine de la plus jolie épicerie fine à Beyrouth, Gramm, où l'on peut s'attabler également pour déjeuner dans un décor rassurant et des étagères garnies de produits choisis avec soin. Dès ma première question, elle se lance, enthousiaste :

« Mon souvenir d'enfance gourmand c'est le plat que j'attendais avec impatience, le *kebbeh bel saniyeh* (*kebbeh* en plateau). Tout simplement parce qu'il fallait en décorer la surface avant de le cuire en dessinant carrés et losanges. C'était la seule partie de la recette que ma mère me laissait faire. Je m'appliquais et mes fantaisies faisaient prendre à ce plat, suivant mon inspiration, des apparences diverses : fleurs, triangles... Une fois mariée, j'ai reproduit la recette entière avec amour pour mes fils Zaid et Karim, surtout lorsque nous étions réfugiés à Paris durant la guerre. Je la refais aujourd'hui avec plaisir et je souris en la décorant, en m'appliquant exactement comme lorsque j'étais enfant ! »

RECETTE

51

Le *kebbeh bel saniyeh*

de Nada Zeineh

Ingrédients

Pour un plateau de 30 cm de diamètre

500 g de *burghol* fin brun ou blé concassé

350 g de viande hachée sans graisse, agneau ou bœuf

1 petit oignon

1/4 cuillère à café de mélange d'épices pour *kebbeh*, composé de poivre blanc, poivre noir, noix de muscade, clous de girofle, cannelle, gingembre et cardamone

1 cuillère à soupe de sel au goût

Pour la farce

300 g de viande hachée (mouton ou bœuf ou un mix des deux)

1 oignon

1/4 cuillère à café de 7 épices

1 cuillère à café de pâte de piments

2 cuillères à soupe de beurre clarifié

100 g de pignons et noix concassées

Sel au goût

Préparation

1 Faire revenir la viande hachée avec l'oignon coupé finement en petits cubes dans 2 cuillères à soupe de beurre ou d'huile.

2 Ajouter les épices et le sel.

3 Étaler une première couche de pâte à *kebbeh* dans un plat à four rond, moule de 30 cm de diamètre.

4 Garnir de farce puis recouvrir d'une deuxième couche de pâte.

5 Bien lisser la surface en plongeant la main dans un bol d'eau tiède, additionné d'une goutte d'huile d'olive pour étaler la pâte.

6 À l'aide d'un couteau fin, dessiner sur la surface du plat des carrés, des rectangles, des ronds ou des triangles, selon votre envie.

7 Arroser d'une cuillère d'huile d'olive.

8 Mettre dans un four chaud (150°C) pendant 40 minutes.

9 Déguster tiède avec, en accompagnement, un bol de yaourt ou une bonne salade verte bien citronnée.

Nagib et Alfred Assaily

Au bonheur des tables

Dès l'âge de dix ans, il regardait son père Nagib s'activer aux fourneaux, sourire aux lèvres. Ce dernier préparait un plat en expliquant au petit Alfred assaisonnement et tour de main. Chez les Assaily, le goût de la cuisine se reçoit comme un label d'excellence à la naissance : de Victoria, l'arrière-grand-mère, à Eva, à Nagib, jusqu'à Alfred.

Ce n'est pas par hasard que trois des meilleures enseignes de Beyrouth, le Burgundy, Liza et la bien nommée Table d'Alfred, portent, chacune à sa façon, l'élégante signature de cette famille. J'ai souvent croisé Alfred à des cours de cuisine organisés à l'hôtel Le Vendôme Intercontinental de Beyrouth, où un chef inspiré, Dominique Ferchaud, déployait un torrent d'énergie pour défendre la gourmandise. Sur les dix élèves inscrits, huit l'étaient par ennui et désœuvrement, et deux par passion. Alfred était l'autre passionné. C'était le seul avec qui j'étais en connivence de références.

Après plusieurs cours et fous rires partagés, il a fini par concrétiser son rêve de restaurant gastronomique à Beyrouth pour le plus grand bonheur des gourmets de la ville avec une qualité toujours irréprochable et une carte sans cesse renouvelée.

Dans le cadre accueillant de leur appartement rue Sursock, autour de gourmandises délicatement choisies par sa délicieuse épouse Diane, Alfred raconte ses souvenirs d'enfance, sous les regards espiègles de son père et de sa fille Alexandra Maria :

« Je devais avoir dix ans et, comme tous les dimanches, nous déjeunions chez Eva Assaily, ma grand-mère paternelle. C'était toujours un moment de joie et de retrouvailles. Bien sûr, tout chez elle était fait maison. C'est de cette époque que date ma première grande émotion gourmande. Papa se mettait alors aux fourneaux en chantonnant. Il préparait des cuisses de grenouille à la provençale. Je le regardais décortiquer les gousses d'ail, hacher la coriandre, réajuster l'assaisonnement, citronner puis fariner les petites bêtes et les saisir rapidement dans l'huile chaude. Les parfums de la sauce, le grésillement de la cuisson puis la croustillance m'avaient ébloui et, depuis, font mes délices. Jusqu'aujourd'hui, c'est l'un de mes plats préférés que j'essaie de reproduire le plus souvent possible.

« Avec ma mère, au déclenchement de la guerre civile, nous avons vécu en Suisse et en France. La fréquentation régulière des grandes tables étoilées a largement contribué aussi à former mon goût pour le travail bien fait. J'ai ensuite fait l'école Ritz Escoffier à Paris, en plus d'une formation de gestion.

« Enfant, je n'avais pas le goût des desserts et ne l'ai toujours pas. Les plats cuisinés sont pour moi plus intéressants et surtout moins mathématiques que les desserts qui ne tolèrent pas beaucoup de fantaisies, de variations, sauf peut-être pour leur décoration.

« Ma mère et mon épouse Diane ne se préoccupent pas beaucoup de cuisine au quotidien. Les choses de la table sont dans ma famille, semble-t-il, une affaire d'hommes ! »

La petite Alexandra aux jolies fossettes rieuses démentira-t-elle bientôt son père ? Elle semble en tout cas avoir de sérieuses prédispositions côté goût. Les yeux brillants de gourmandise, elle escalade, du haut de ses deux ans, la table de la salle à manger, puis, un macaron dans chaque main, elle décide de me les faire partager à tout prix, en me lançant des « manze, manze », avant de courir se réfugier, irrésistible, sur les genoux de son grand-père Nagib, totalement conquis.

RECETTE

52

Recette des cuisses de grenouille

façon Alfred et Nagib Assaily

Ingrédients

Pour 6 personnes

2 douzaines de cuisses de grenouille

3 cuillères à soupe de beurre

1 cuillère à soupe d'ail coupé fin

1 cuillère à soupe de persil frais coupé pour décorer

2 cuillères à soupe de coriandre fraîche hachée

2 cuillères à soupe de farine de blé

1/2 citron

Sel et poivre au goût

Préparation

1 Mettre le beurre à chauffer dans une poêle avec l'ail, la coriandre, le persil, le sel et le poivre.

2 Ajouter les cuisses de grenouille passées rapidement dans la farine et les faire griller de chaque côté.

3 Dresser dans une assiette chaude décorée de persil ciselé.

Nasri et Sophie Chami

Les petits pains de Sophie

Nasri est indissociable de mes années d'internat en médecine. Arriver chez lui pour le petit déjeuner après des heures de garde intenses où, à côté du travail hospitalier, le pilonnage du quartier d'Achrafieh par l'armée syrienne nous faisait passer des nuits blanches, était invariablement un régal !

Nasri mettait un soin immense à choisir mets et décors, histoire de continuer à donner du sens à la vie malgré la barbarie. Le sourire de sa femme Christiane, beaucoup moins intéressée par la chose culinaire, mais toujours avenante, ponctuait le festin. Nasri était le fils unique d'une mère remarquable, Sophie. Malgré ses exils successifs, elle avait gardé une bienveillance et une gaieté communicatives et constantes. En arrivant chez elle, nous étions toujours accueillis par des arômes vanillés et d'épices. Sophie cuisinait avec amour et passion et ses croquants aux amandes, aussi incontournables que ses petits pains, faisaient les délices de tous ses invités, en particulier des amis de son fils.

Nasri, très ému à l'évocation du souvenir de sa mère, raconte en essayant de se souvenir des dates :

« Zofia Lorfing, ma mère, est née et a vécu jusqu'à la fin de son adolescence en Pologne, dans la région de Zocal. En février 1940, suite à l'invasion de la Pologne par les Allemands, les 100 000 habitants de cette région limitrophe avec la Russie furent déportés en Sibérie avec le prétexte de créer une zone sécuritaire pour le pays. Après une semaine de voyage dans un train à marchandises, ma mère, son frère Andjei et leurs parents se sont donc retrouvés dans un camp de réfugiés avec pour mission de couper du bois dans les forêts. Les conditions de vie dans les camps étaient dures et il fallait travailler par temps glacial avec une ration de 100 grammes de pain rassis par personne. Il n'y avait pas d'excuses pour éviter ce dur travail, sauf pendant les jours où il faisait moins de 42°C. Le froid rendait la vie pénible et les déportés manquaient de tout. Il n'y avait pas non plus de soins pour les malades et lorsque mon grand-père avait souffert d'une grave pleurésie, ma mère, en grande croyante catholique, avait fait le vœu de ne jamais jeter une miette de pain, même rassis, s'il s'en sortait !

« Ils s'en sont tous les quatre sortis vivants et, en août 1942, le départ de Sibérie des Polonais fut négocié avec Staline en échange de l'abandon de territoires polonais à la Russie. La famille Lorfing se retrouva alors déportée de nouveau à Téhéran, mais toujours dans des camps de réfugiés. Vers la fin de la Seconde Guerre mondiale, des bourses d'études furent accordées aux jeunes Polonais en âge de faire des études universitaires. Ma mère en obtint alors une pour faire des études au Liban. C'est ainsi qu'elle est venue s'installer avec les siens à Beyrouth, tout comme une centaine de familles polonaises.

« En novembre 1949, elle obtint son diplôme d'infirmière à l'Université Saint-Joseph et fit dans la foulée la connaissance de mon père Antoun. À leur mariage, ils s'installèrent dans la maison familiale dans le centre-ville de Beyrouth qu'ils partageaient avec mes grands-parents paternels. Ma grand-mère, excellente cuisinière, apprit à ma mère la cuisine libanaise. J'ai donc été élevé surtout dans les saveurs de la cuisine libanaise et toutes les pâtisseries qui vont avec...

« Zofia ou Sophie (que j'appelais par son prénom), qui n'avait jamais abandonné son vœu concernant les restes de pain, avait mis au point la recette d'un toast à la béchamel qui lui permettait de servir en apéritif les restes de baguette de pain de la semaine. Comme mon père aimait recevoir la famille tous les dimanches, nous avions toujours à l'apéritif "les petits pains de Sophie" ».

Excellents de l'avis général et totalement addictifs, c'est avec une tendre pensée pour Sophie que j'en reproduis la recette à mon tour aujourd'hui, perpétuant vœu et tradition.

Recette des petits pains

de Sophie et Nasri

Ingrédients

½ litre de lait

50 g de beurre

50 g de farine

200 g de gruyère râpé

200 g de champignons émincés

200 g de jambon découpés en petits dés

Muscade râpée

Sel et poivre

Préparation

1 Mettre le beurre dans une casserole à feu doux.

2 Dès qu'il est fondu, y verser la farine et remuer avec une spatule en bois pour obtenir un mélange homogène.

3 Verser ensuite graduellement le lait froid en fouettant vivement pour éviter la formation de grumeaux.

4 Ajouter muscade, sel et poivre et faire cuire pour obtenir une béchamel qui nappe votre cuillère.

5 Incorporer successivement le gruyère râpé, les champignons et le jambon et laisser cuire le mélange quelques minutes.

6 Découper les restes de baguette en rondelles de 1 cm d'épaisseur, les déposer sur un plateau beurré et garnir chaque rondelle d'une petite cuillère de la sauce.

7 Faire dorer les petits pains dans un four à 180°C pendant 15 minutes et servir chaud.

Ghassan Salamé

Terre d'abondance, paradis d'enfance et table des dimanches

Ghassan Salamé est un politologue éminent qui s'est illustré aussi bien dans son pays que sur la scène internationale, dans différents domaines dont l'enseignement supérieur, la diplomatie, la culture et la politique. Il a été, entre autres, directeur de recherche au Conseil national de la recherche scientifique, directeur de l'Institut d'études politiques de Paris et conseiller spécial de Kofi Annan, ancien secrétaire général de l'ONU. Nommé ministre de la Culture au Liban en l'an 2000, il a organisé, d'une main de maître, le sommet arabe en mars 2002 et le XIe sommet de la Francophonie qui s'est tenu à Beyrouth en octobre de la même année.

L'idée de raconter ses souvenirs gourmands lui titille très vite les neurones, je sens le « fils » bien nourri, et son récit me le confirme rapidement !

« J'avais dix ans quand l'électricité est arrivée dans mon village Kfardebiane. C'est ainsi que j'ai eu la chance de vivre la fabrication de notre nourriture au quotidien à la maison, confectionnée à la main, sans le secours du courant électrique et des appareils ménagers qu'il met en vie. Avec le recul, je considère ce retard comme une chance, celle d'avoir connu le *kebbeh nayeh* pilé au fond du *jurn* en pierre, le pain servi chaud, directement du *tannour* de ma tante aînée, le poulet grillé sur du charbon de bois, et d'avoir vécu l'obsession répétitive de la bonbonne de gaz qui prenait un malin plaisir à se vider de son dernier souffle alors que ces dames (ma mère et mes tantes) s'affairaient à préparer le déjeuner du dimanche. Car le dimanche était le seul jour où nous avions un repas en bonne et due forme. La famille se réunissait au grand complet et des parents éloignés, devenus citadins, reprenaient la route du village pour partager la tablée.

« Dimanche était aussi le jour où, au son d'énormes postes de radio — à batteries bien sûr —, diffusant leur énième édition de l'émission populaire de l'époque " *Ma yatloubouhou al-moustami'oun* " (le choix des auditeurs), la préparation du repas se faisait joyeusement. Parfums de viande grillée, de persil coupé pour l'incontournable taboulé et de l'*arak* fabriqué par l'oncle paternel et versé à profusion se mêlaient dans un rituel immuable. Dès la fin de la messe, les paysans débarrassés de leurs costumes amidonnés, mis tout aussi rituellement pour le jour du Seigneur, se mettaient gaiement à table.

« Mes expériences gastronomiques de jeunesse avaient donc ceci de particulier, d'être à la fois ritualistes, olfactives, visuelles et conviviales. Ce mélange de sensations l'emporte largement dans mon souvenir sur ce qu'il y avait dans nos assiettes. Ce dont je me souviens surtout c'est qu'elles étaient copieuses et que la *ghammeh* était souvent au menu. Le boucher ne sacrifiant ses bêtes que pendant le week-end, il fallait lui rappeler trois fois pendant la semaine de nous réserver les tripes et les abats. Lorsque l'artisan du boyau tenait parole (il le faisait une fois sur trois, ce qui n'était pas mal), ma mère faisait des merveilles avec ce qu'il lui avait mis de côté. Je découvrais ainsi avec plaisir ces morceaux de viande qui pouvaient a priori paraître répugnants pour un enfant :
- le *mi'lak* (la rate) qui accompagnait l'anisette. Ah, ce fameux *mi'lak* délicatement roulé dans les épices !
- la *qasbeh sawda* (foie cru) qui était consommée telle quelle après l'examen laser sourcilleux de ma mère. Si elle ne correspondait pas à ses critères de qualité, elle était immédiatement redirigée sans pitié vers le four et servie grillée.
- la *ficheh* (poumon), quant à elle, était tout de suite bouillie, puis relevée de *thineh* et d'ail. Un soin particulier était réservé aux *kleweh* (rognons) juste poêlées avec un soupçon de gros sel et un zeste de citron.

« Cette explosion pantagruélique de saveurs et de textures était notre péché du dimanche. Mais ma nostalgie n'est pas moindre pour les autres six jours de la semaine où la viande (ne parlons guère de poisson, une denrée trop rare, fragile et chère pour pouvoir voyager du littoral jusqu'à chez nous) était absente, laissant la place à toutes sortes de mets à base de légumes et plantes que le doigté de ma mère savait transformer en festins. Tel M. Jourdain, nous étions, six jours par semaine, végétariens sans le savoir. Au fond de mon étroite cuisine parisienne, j'en souris encore. »

Cette minutieuse revue d'anatomie vétérinaire terminée, je laisse Ghassan Salamé tout à sa rêverie sur son balcon de Kfardebiane devant des vergers s'étendant à perte de vue, entourés de roses et de jardins magnifiques. Joli tableau où le sourire avenant de sa discrète épouse Mary rajoute de la douceur à cette terre d'abondance.

Plat d'hiver par excellence, la *ghammeh* est surtout très populaire dans la montagne libanaise. Il réchauffe et rassemble durant les longues nuits froides hivernales. Cet équivalent du gras-double lyonnais demande un temps de préparation pantagruélique, mais la maîtresse de maison chargée de la préparation en est largement remerciée par le bonheur de ses convives.

RECETTE

54

Recette de la *ghammeh*

de Ghassan Salamé

Ingrédients

3 kg de boyaux de mouton ou de chèvre

1 kg de riz blanc rond

3 bâtons de cannelle

5 feuilles de laurier

10 graines de poivre noir

2 cuillères à café de sel

150 g de pois chiches décortiqués et cuits

200 g de viande de mouton hachée

50 g de pignons

1 cuillère à café de poivre doux

1 cuillère à café de cannelle

1 cuillère à café de 5 épices (mélange de gingembre, muscade, cannelle et cardamome)

30 ml de verjus

1 cuillère à café d'eau de fleur d'oranger

Préparation

1 Dans deux litres d'eau tiède salée, retourner les boyaux et racler la partie interne avec un couteau.

2 Bien frotter avec du citron et du sel.

3 Jeter l'eau, puis remettre le tout à tremper dans de l'eau tiède citronnée pendant deux heures.

4 Recommencer à deux reprises.

5 Préparer pendant ce temps la farce en mélangeant riz, épices et viande hachée.

6 Rajouter 2 cuillères à café de pois chiches.

7 Égoutter les boyaux bien propres et commencer à farcir en s'aidant d'un entonnoir et en y allant très doucement.

8 Ne pas mettre trop de farce car le riz triple de volume à la cuisson.

9 Dans une grande marmite, déposer les boyaux coupés en tronçons et recouvrir d'eau, de feuilles de laurier, de bâtons de cannelle et de rondelles de citron.

10 Rajouter le verjus, l'eau de fleur d'oranger.

11 Laisser cuire sur feu doux pendant 3 heures.

Youssef Haidar

De terres, d'épices et de feu

Notre première rencontre s'est faite chez sa compagne Nada Zeineh autour d'un verre de vin. Elle me l'avait souvent décrit gourmet, bon vivant et joyeux luron.

Une ressemblance troublante avec Gustave Klimt s'impose de prime abord, sur cette terrasse ocre, rosie par le coucher de soleil. Son regard jovial, sa franche poignée de main et son grand sourire confirment immédiatement l'image. Nada et lui sont jumeaux d'âme, œuvrant tous deux pour le beau, chacun de son côté et souvent main dans la main pour embellir le quotidien au Liban. Grâce à leurs talents conjugués, des projets magnifiques ont vu le jour et il faudrait au moins trois chapitres pour les citer tous : le musée du savon à Saïda, le musée archéologique de l'Université américaine de Beyrouth, la mosquée al-Omari, entre autres...

Aujourd'hui, Youssef, en solo, s'occupe de faire renaître la Maison jaune, immeuble emblématique situé sur l'ancienne ligne de démarcation de Beyrouth durant la guerre civile, « Beit Beirut » ou maison de Beyrouth, en devenir. Pour lui garder son charme d'antan, il en panse les plaies à la seringue, biberonne les prothèses qu'il lui pose avec une patience infinie tout en insufflant à ses fragments d'histoire une modernité calculée. Un vrai travail d'orfèvre.

Élevé dans la plus pure tradition libanaise par une mère originaire de Tripoli et un père de Baalbeck, c'est dans les cuisines de ses deux grands-mères qu'il saisit, en les regardant travailler, leur savoir-faire minutieux ainsi que l'importance du juste dosage des épices et des aromates. Après une scolarité brillante au Grand Lycée de Beyrouth, Youssef Haidar quitte le Liban pour Paris, en 1983, en pleine guerre civile. Parfaitement francophone, Paris et lui se reconnaissent d'emblée et la Ville lumière fait de lui cet enfant du monde qu'il est aujourd'hui. Mais le Liban reste profondément ancré en lui et c'est en 1994, au hasard d'un projet qui lui est proposé par l'Université libanaise, qu'il reprend le chemin de son pays natal. Youssef raconte ses goûts et choisit avec soin ses mots pour décrire sa passion de la table :

« J'ai toujours aimé la nourriture, ses nuances, ses plaisirs et sa vocation fédératrice. Toutes les gastronomies m'interpellent, même si j'ai une prédilection pour la libanaise. C'est dans les cuisines de mes deux grands-mères que j'en ai appris les nuances. À Tripoli, feuilles de vigne et farcis, *tajen* et plats de poisson ; à Baalbeck, *ouzi* d'agneau et *sfiha*. Tout me régalait. J'observais les différences de terroir et d'habitudes, j'apprenais l'importance de la patience et de la transmission. C'est d'ailleurs pour transmettre tout cela à Zeid et Karim, les fils de Nada, que je cuisine tous les jours. La cuisine me détend et me passionne. Nada s'occupe de décorer de temps en temps les plats et la table, rajoute-t-il en riant, ou de me suggérer une recette.

« J'adore les épices qui sont pour moi l'intelligence de la cuisine. Amoureux des plantes aromatiques, j'en fais pousser des carrés entiers dans notre maison dans le Chouf où le climat et la qualité optimale de l'eau font des merveilles, avec zéro engrais. Je compose moi-même mon *zaatar* et essaie d'en améliorer la recette année après année.

« J'ai découvert la *frikeh* au Sud-Liban chez des amis et depuis, c'est devenu mon plat préféré et celui de toute la famille. Je m'applique à la reproduire en faisant mon propre mix d'épices et surtout en veillant avant tout au choix du grain de blé. La *frikeh* désigne le blé vert grillé. Les épis de blé sont cueillis avant maturité, alors qu'ils sont encore verts, puis grillés et enfin mis à sécher. Je les choisis entiers et non concassés comme c'est le cas d'habitude pour cette recette. Un artisan qui a le respect de la terre et des saisons m'en livre par sacs entiers. Ensuite, pour la cuisson, j'ai aussi mes petits secrets : je laisse très peu tremper les grains et j'utilise pour le bouillon de la viande de chèvre ou d'agneau. Mais dans les deux cas, je rajoute quelques os pour donner du moelleux.

« Le Liban regorge de bons produits. Le problème c'est qu'ils sont souvent massacrés par le non-respect des producteurs qui privilégient la rentabilité à la qualité. J'espère que les prochaines générations prendront conscience de l'importance de ce patrimoine culturel et militeront pour l'améliorer au quotidien. »

Pour ma part, je souhaite que les générations futures croisent au cours de leurs années d'apprentissage un Youssef Haidar. Il fait partie de ces personnages qui font croire en l'avenir et qui peuvent influencer positivement le parcours d'une vie.

RECETTE
55

Frikeh à l'agneau
selon Youssef Haidar

Ingrédients

1 kg de *frikeh*

1,5 kg d'agneau (pris dans le gigot et l'épaule)

1 cuillère à soupe d'huile d'olive

1 cuillère à soupe de beurre clarifié

3 petits oignons blancs

Mix d'épices

5 gousses de cardamome verte entières

5 feuilles de laurier

5 grains de poivre noir

5 grains de poivre blanc

2 cuillères à café de cumin moulu

2 cuillères à café de carvi brun moulu

100 g de fruits secs (pignons, pistaches, amandes)

1 cuillère à soupe de sel marin

Préparation

1 Faire revenir la viande avec la cuillère à soupe d'huile, les oignons hachés et les épices, sauf la cardamome et le laurier, pendant quelques minutes au fond de la cocotte de cuisson.

2 Rajouter de l'eau bouillante, environ 1 litre.

3 Ajouter les graines de cardamome légèrement écrasées pour qu'elles exhalent leur arôme et les feuilles de laurier.

4 Laisser cuire 20 minutes après le premier sifflement de la cocotte-minute pour avoir une viande bien fondante.

5 Dès que la viande est cuite, retirer les morceaux et faire cuire les graines de *frikeh* dans le bouillon. Il faut que le bouillon recouvre bien la *frikeh*. Si nécessaire, rajouter un peu d'eau et laisser cuire à feu doux pendant 10 minutes. L'idéal est que les graines restent humides, légèrement collantes.

6 Pendant ce temps, faire revenir les fruits secs dans le beurre clarifié.

7 Servir dans un plat de présentation et décorer de fruits secs.

Là où tout
a commencé

Elle avait le goût de la lecture et de la cuisine. Des études de peinture timidement entreprises aux Beaux-Arts à Paris, puis le choix du mariage.

Ma mère nous a élevés, mon frère, mes sœurs et moi dans le goût du beau et du bon. Nous vivions entourés de murs de livres, d'étagères de romans et de tours de magazines. Édifices idéaux pour s'envoler par-dessus murs de sable et barricades et oublier toutes les guerres. Je ne la remercierai jamais assez de m'avoir donné le goût de la lecture.

L'exigence et le perfectionnisme gastronomiques de mon père lui faisaient adapter en douceur ses goûts d'Occident à ceux de l'Orient. Elle avait surtout une prescription culinaire pour chacun de nos chagrins d'enfant : le lait caramélisé pour consoler des devoirs trop longs, une tisane sauge et thym avec une figue sèche en guise de sucre pour calmer une toux et un merveilleux gâteau au chocolat épicé de girofle pris au petit déjeuner pour aller à l'école en chantant.

La crème caramel couronnait nos déjeuners du dimanche et chacun de nous avait le droit de choisir son gâteau et son menu le jour de son anniversaire. Nos horizons gourmands n'en étaient que plus vastes. J'ai très tôt perçu grâce à elle la possibilité de mélanges subtils.

Nos exils successifs imposés par les conflits régionaux ont été adoucis par cette double culture acquise au berceau et qui faisait de l'étranger un endroit familier. Notre boussole restait sa table toujours ouverte et la crème caramel toujours au menu.

Mon père avait la culture pour religion, la musique et les épices pour passion. C'est de lui, certainement, que je tiens mon perfectionnisme. Entre deux voyages, il prenait le temps de me montrer comment faire pour qu'un café turc soit *mazbout* (bien dosé), décrétant que personne ne savait le faire correctement à la maison, comment être intransigeant sur la qualité des épices et surtout comment les doser, martelant qu'elles étaient l'intelligence de la cuisine. Il dosait au gramme près son *zaatar* fait maison pour se détendre entre constructions et adjudications. Il fut mon premier goûteur, le plus exigeant, mais le plus tendre aussi, et sa gourmandise faisait mon bonheur.

C'est à leur mémoire que je dédie ce livre.

La recette de zaatar

de mon père

Ingrédients

25 g de thym vert séché

40 g de sumac

50 g de graines de sésame blanc torréfié

30 g de graines de lin brun légèrement torréfié

50 g d'amandes en poudre

50 g de cerneaux de noix

30 g de pistaches sèches non salées

15 g de coriandre sèche en grains

20 g de fenouil en grains

20 g de graines de cumin

2 cuillères à soupe de graines de grenade séchées

Il lui prêtait toutes les vertus, y compris celle « d'ouvrir l'esprit » à la connaissance et au savoir.

Préparation

1 Torréfier les fruits secs.

2 Moudre les épices et les graines de grenade séchées.

3 Mélanger de façon homogène tous les ingrédients en les mettant dans un grand bocal en verre et en le renversant tête-bêche plusieurs fois.

4 À consommer tous les matins en petites quantités avec de l'huile d'olive vierge extra.

RECETTE
57

La crème caramel
de ma mère

Ingrédients

Pour 8 personnes

1 l de lait

3 œufs entiers

3 jaunes

200 g de sucre

Semoule blanc

1 cuillère à café de vanille liquide

1 cuillère à café de sucre vanillé ou 1 sachet

Pour le caramel

150 g de sucre blanc en poudre

1 cuillère à soupe d'eau

Préparation

1 Faire chauffer le lait avec la vanille liquide et le sucre vanillé en sachet.

2 Dans un saladier, mettre les 3 œufs, les 3 jaunes et le sucre, mélanger et faire blanchir le mélange.

3 Une fois le lait chaud, le mettre sur l'appareil et mélanger.

4 Mettre du caramel liquide préparé à l'avance dans le fond des ramequins puis remplir avec le mélange.

5 Mettre les ramequins dans un plat creux, allant au four et rajouter de l'eau à mi-hauteur pour cuire au bain-marie.

6 Pour finir : les mettre au four à 180°C (thermostat 6), pendant 45 minutes. Vérifier la cuisson en piquant avec une pointe de couteau. Laisser refroidir avant de les mettre au réfrigérateur.

Mes filles Stéphanie et Delphine sont nées à Paris et j'ai essayé de leur transmettre les saveurs d'une région du monde et d'un pays qu'elles ne connaissaient pas.

À l'ombre de la tour Eiffel, elles ont goûté au taboulé et appris la *mohallabieh*.

Les lentilles du vendredi faisaient partie de leur alphabet culinaire et de leur apprentissage du goût.

Chacune d'elles a choisi sa recette parmi celles de la maison.

Stéphanie

«Beaucoup de plats me rappellent la maison. La *mouhammara* que je mangeais à la louche, le *adass bi hamod* (soupe de lentilles citronnée) qui me réchauffait le cœur au retour de l'école dans le gris de l'hiver, les *maamouls* de Pâques et leur rituel... Mais c'est ta salade d'aubergines que je reproduis à Paris le plus souvent aujourd'hui. Et mes amis font comme moi : ils lèchent le plat ! »

RECETTE
58

Salade d'aubergines
comme à la maison

Ingrédients

2 belles aubergines rondes de taille moyenne

1 tomate marmande ferme

1 bouquet de coriandre fraîche

150 g de noix torréfiées

2 cuillères à soupe de mélasse de grenade

1 cuillère à café de sel marin

5 c à soupe d'huile d'olive vierge extra

1 tasse à thé de graines de grenade fraîches

Préparation

1 Allumer le four thermostat 5 (150°C).

2 Piquer les aubergines et les mettre à cuire 20 minutes sous le grill.

3 Couper pendant ce temps la tomate en petits dés.

4 Effeuiller la coriandre et la laver, puis la hacher finement en gardant quelques feuilles pour la décoration.

5 Une fois les aubergines grillées, les peler et, dans un saladier, mélanger la chair d'aubergines avec les tomates et la coriandre en rajoutant le sel marin.

6 Rajouter la moitié de l'huile d'olive et la mélasse de grenade.

7 Dresser dans un plat creux et décorer de feuilles de coriandre, de graines de grenade fraîches et de noix torréfiées.

Delphine

«Dans le gris de Londres, je pense souvent à la douceur de mes petits déjeuners à Beyrouth, bercés par l'odeur de semoule parfumée et de beurre clarifié de la *mamounieh*. «Ce plat restera toujours synonyme de mon enfance. Son odeur me réconforte et me remplit d'enthousiasme.»

RECETTE
59

La *mamounieh* du petit déjeuner
comme à la maison

Ingrédients

150 g de semoule de blé fine

200 g de sucre blanc en poudre

5 verres d'eau.

50 grammes de beurre

2 cuillères à soupe d'eau de rose

1 cuillère à café de cannelle en poudre

Préparation

1 Commencer par clarifier le beurre en le faisant chauffer doucement puis retirer la couche blanche d'écume qui se forme au-dessus, laisser refroidir et garder de côté.

2 Mettre l'eau et le sucre à chauffer doucement dans une petite casserole à fond épais.

3 Pendant ce temps, torréfier la semoule avec le beurre clarifié dans une poêle pour lui donner une couleur dorée, en remuant le mélange avec une cuillère en bois.

4 Quand l'eau sucrée bout, éteindre le feu, rajouter les deux cuillères d'eau de rose et la verser tout doucement en petites quantités sur la semoule.

5 Baisser le feu et couvrir le mélange. La semoule va absorber toute l'eau parfumée.

6 Verser dans un plat creux et saupoudrer de cannelle.

Pour une version plus gourmande, rajouter à la décoration des pistaches écalées non salées et des amandes.

Making of...

REMERCIEMENTS

« À mes amours
Patrick
Stéphanie, Delphine, John, Nader et Lila
À Salim, mon goûteur assermenté préféré
À Carine Zahabi, une designer en or
À l'extraordinaire Milad Ayoub, photographe du goût
Et enfin à l'unique Hind Darwish qui arrive avec un appétit
d'oiseau à faire un travail de géant
À toutes les personnes qui ont participé à cette aventure
avec enthousiasme »